JN013716

「逃げおくれた」伴走者

分断された社会で人とつながる

奥田知志

本の種出版
bookseeds

はじめに――逃げおくれの独り言

「『逃げおくれた』伴走者」。本書はそう名付けられた。「伴走者」は、私たちが提唱し実践してきた伴走型の支援者のことであるが……。

時折取材を受ける。「なぜ、三十年以上もこのような活動を続けられるのか」。質問の答えに窮する。「揺るがない信念」「消えない情熱」「海よりも深い愛」……。そんな言葉がちりばめられた返答が期待されているのだろうが、申し訳ないがそう答えるわけにはいかない。

始めた頃、少しは「そんな大それたこと」を考えた。だが、それは瞬く間に現実の中で潰《つい》えた。正直「逃げ出したい」「もうやめたい」そんな思いに何度もなった。どれだけ手を伸ばしても届かない人の現実は、私たちを諦念へと常に誘った。

一方、「出会った責任」ということが常に問われた。人は出会ってしまうと「なかったこと」にはできない。だから「出会った責任がある」と自分たちに言い聞かせた。だが「責任」って何だ。そもそも、人が人に対して「責任を取る」ことなどできるのか。そんな葛藤の中で「出会った責任がある」ということと、「出会った責任を取る」ということとは全く違うということに気づかされた。私たちは、「責任を取ること」はできない。どんなに頑張ったとしても。だから「出会った責任がある」と、ただただ言い続けたのだ。責任を取れないまま三十年の月日が過ぎた。

「引き受ける勇気」はない。しかし、厄介なことに「逃げる勇気」もなかった。神は、人に「強靭《きょうじん》な勇気」をお授けにはならなかったのだ。「引き受ける」と思うと腰が引ける。しかし、この脆弱《ぜいじゃく》さには「皮肉な恵み」が含まれていた。そんな「気の弱さ」ゆえに「逃げる」こともできなかったということだ。「引き受ける」こともできず、「逃げる」こともできない。結果、「逃げおくれた人々」が現場には残された。

「逃げる勇気がなかっただけ」と正直に言ってしまうと、「立派」と評価された活動のメッキは剥げる。別に嘘《うそ》をついた覚えはない。良い、悪いの問題ではなく、それが私の、そして抱樸《ほうぼく》の現実だった。「嫌だなあ」「逃げたいなあ」「なんで俺が」。そんなつぶやきが止めどなく現場から聞こえてくる。でも、「逃げる勇気はない」。仕方なく今日も現場に通う。私たちは、「すばらしく弱かった」のだ。何が「すばらしかった」のか。それは、たとえ仕方なくとも赴いた現場で思いがけない出会いを経験したことだ。それは、大変だけど決して不幸ではなかった。逃げおくれたことに感謝さえできた。


聖書にこのような言葉がある。キリスト教を地中海沿岸に広めたパウロという人の言葉だ。

そこで、高慢にならないように、わたしの肉体に一つのとげが与えられた。それは、高慢にならないように、わたしを打つサタンの使《つかい》なのである。このことについて、わたしは彼を離れ去らせて下さるようにと、三度も主に祈った。ところが、主が言われた、「わたしの恵みはあなたに対して十分である。わたしの力は弱いところに完全にあらわれる」。それだから、キリストの力がわたしに宿るように、むしろ、喜んで自分の弱さを誇ろう。だから、わたしはキリストのためならば、弱さと、侮辱と、危機と、迫害と、行き詰まりとに甘んじよう。なぜなら、わたしが弱い時にこそ、わたしは強いからである。(「コリント人への第二の手紙」第十二章第七節〜第十節)

パウロには、何か障害があったようだ。目が悪かったという説もある。当時の宗教社会において「障害」は、神の祝福から漏れている証拠だとされた。伝道者としては面目ない状態だ。だから彼は、「離れ去らせてください」と神に祈る。自分を苦しめる「障害という現実」から逃げ出したかったのだ。そんな彼に、「私の力は弱いところに完全にあらわれる」と神は語る。パウロは、その言葉に励まされ「喜んで自分の弱さを誇ろう」「わたしが弱い時にこそ、わたしは強い」と一歩踏み出す。

これは、にわかに理解しがたい言葉である。特に新自由主義のはびこる現代においては「敗者の負け惜しみ」に聞こえる。

だが、私は、このパウロの言葉が今は少しわかる気がする。通常、私たちは「強靭な勇気」「揺るがない信念」、そして「海よりも深い愛」を誇る。しかし、彼は「弱さ」を誇る。「弱さ」が誇りとなるのなら、「逃げる勇気がなかった弱い私」を誇る可能性もあるのではないか。「弱かったからやってきた」。僕もパウロも逃げおくれ組だ。

一方、私たちが出会ってきた野宿の親父《おやじ》さんたち、あるいは困窮にあえぐ人々、行き場のない子どもたちも、それぞれ「逃げおくれた人々」だったと思う。自分の安全を最優先に考え、損得に過敏で、他者と関わることを嫌い、面倒なことからの逃げ足は速い——そういう調子のいい生き方が、できなった人々と出会ってきたように思う。彼らもまた逃げおくれ組だった。逃げおくれた人々と逃げおくれた者たちが出会う。それが抱樸の三十年だ。

随分長く逃げおくれてしまった。ついでだから、もうしばらく逃げおくれていようと思う。最初は、多少ドキドキした。しかし、人間慣れるもので、最近は結構おもしろくなってきた。「厄介なことからなるべく逃げた方が幸せだ」と思っている人には、この「おもしろさ」はわからない。なんとも言えない「幸せ」がそこには確かにあったのだ。

現代人は、逃げ足が速すぎるのではないか。この本を読んでくださった方々が「私も逃げおくれてみるか」と思ってくだされればと思う。「お前さんも逃げおくれ？」「そう、私も逃げおくれ」。そんな仲間が増えたらいいなあ。「逃げおくれ組」が「跋扈《ばっこ》」する社会は、今よりか多少なりとも生きやすくなるような気がする。

この本の出版は、二〇一七年に私が糸賀一雄《いとがかずお》記念賞をいただいたその会場で本の種出版の小林恵子《こばやしけいこ》さんと出会ったことから始まる。小林さんの熱心な説得に「書きます」と言ってしまったが、その後、書く余裕はなく三年が過ぎた。当初計画していた企画とは違う本となったが、この間私がネット等（主にnote）で公表した文章、コロナ緊急支援としてNPO法人抱樸が行ったクラウドファンディングの応援企画の対談（YouTube 抱樸チャンネル）にご出演くださった方々との対話の記録などが収録されている。まとめて書いた文章ではないので、文体などもまちまちで読みにくいが、ご容赦いただきたい。時代の発言の記録として読んでいただければ幸いだ。

原稿催促のメールに全く返事をしない僕を、粘り強く応援くださった小林さんと本の種出版の方々、本書を形にするにあたってご助力くださった諸氏、特に写真の提供をしていただいたタカオカ邦彦《くにひこ》さん、木田勝久《きだかつひさ》さん、扉のイラストを描いていただいた東郷聖美《とうごうせいみ》さん、デザイナーの花本浩一《はなもとこういち》さんに感謝したい。また、対話の記録の収録を快諾してくださった上田紀行《うえだのりゆき》さん、若松英輔《わかまつえいすけ》さん、玉木幸則《たまきゆきのり》さん、茂木健一郎《もぎけんいちろう》さんに、心よりお礼を申し上げる。

奥田知志

もくじ

「逃げおくれた」伴走者
分断された社会で人とつながる

第1章 いのちの格差

第2章 罪ある人間

第3章 他者と出会う

第4章　生きる意志

第5章　希望のまち

第1章

いのちの格差

「あんたもわしも　おんなじいのち」

(2019/11/07 note)

災害は、それまで隠れていたものをも明るみに出す。

「災害はすべての人に平等に訪れる」と言う人がいる。確かにそうかも知れない。しかし、現実は違う。災害は、それまで社会が覆い隠していた「格差」をあぶり出す。被害はすでにあった「格差」を踏襲する形で現れるのだ。

台風が関東を直撃していた最中、東京・台東区の避難所が「住民ではない」との理由でホームレスの受け入れを拒否した。これについて台東区の災害対策本部では、「路上生活者は避難所を利用できないことを決定している」と回答したという。

あの日、テレビは「いのちを守る最大限の努力を」と繰り返し呼びかけた。「災害救助法」では「現在地救助の原則」を定めており、住民票に関係なく現在地の自治体が対応することになっている。「いのち」が何にも優先されなければならない、それは言わずもがなの事柄だ。しかし、現実は違った。

台東区の対応が批判されるのは当然だ。しかし、一方でこのような対応がなされる背景に今日の社会を覆う「空気」のようなものがすでにあったのだ。

ヘイトスピーチが公然となされ数々の分断線が引かれている。

二〇一六年七月には、相模原市において重い障害のある人々が十九人殺された。理由は「生きる意味がないいのち」だからだった。

「意味のあるいのち」と「意味のないいのち」という分断線が引かれたのだ。「LGBTは子どもをなさないから生産性が低い」と雑誌に書いた国会議員がいる。雑誌は廃刊となるが、本人は議員を続けている。なぜか。この議員の差別性は言うまでもないが、この議員の発言を支持する人々が一定数いるからだと思う。

「歪《ゆが》んだ生産性偏重の圧力」が私たちを分断する。

今回の台東区の排除の一件は、役所の問題であると共に、このような「排除」や「差別」が横行する社会の実相を台風があぶり出したということだと思う。「ホームレスになったのは自己責任。だから助ける必要はない」という社会の「空気」が、この件の背後にはある。

経済格差が問題とされて久しい。しかし、これらの現状は「いのちの格差」が生じていることを表している。

先日、ある高校で講演をした際（その日は相模原事件をテーマにした講演だったのだが）、講演の冒頭「『一人の生命は地球より重い』って言葉があるでしょう」と語りかけた。会場は静まり返っていた。不安に思い「この言葉を知っている人」と尋ねると、二人だけが手を挙げた。会場には六百人以上の生徒がいたのだが。

一九七七年に起こったハイジャック（航空機乗っ取り）事件に対して、日本政府は強硬措置を取らず、身代金の支払い、「超法規的措置」による逮捕済みの犯人グループの引き渡しを認めた。その判断の根拠として、当時の内閣総理大臣であった福田赳夫《ふくだたけお》が「一人の生命は地球より重い」と述べたのである。

それがあの言葉だった。当時、私は十四歳、中学生。「この国は良い国だ」と思えた。

しかし、あれから四十年余りが経《た》ち、この言葉は継承されることはなかった。それはなぜか。「そんな当然のことは、言わずもがなだ」ということか。

あるいは「そんなきれいごとを言っても、現実は『大事にされるいのち』と『そうでもないいのち』があるじゃないか」という現実に子どもたちが気づいてしまったからか。

Memo

トピック
相模原事件

二〇一六年七月二十六日未明、相模原市の県立知的障害者施設「津久井やまゆり園」（運営は社会福祉法人かながわ共同会）で、入所者の男女十九人が刃物で殺害され、職員二人を含む二十六人が重軽症を負った事件。

犯人は元職員の植松聖《うえまつさとし》（事件当時二十六歳）。自ら所轄の津久井警察署に出頭したもので、「意思疎通できない障害者は殺した方がいい」との考えに基づく犯行と主張した。二〇二〇年一月から横浜地裁にて裁判員裁判が開かれ、植松被告の刑事責任能力などが問われたが、その主張は一貫して変わらなかった。三月十六日に求刑通り死刑判決が言い渡され、控訴期限の同月末、弁護士による控訴を被告が取り下げたことにより、死刑が確定した。「相模原障害者殺傷事件」「（津久井）やまゆり園事件」などとも呼ばれる。

Memo

トピック
一九七七年に起こったハイジャック事件

一九七七年九月二十八日に、パリのシャルル・ド・ゴール空港発、東京国際空港行きの日航機が、経由地のムンバイ空港を離陸直後、武装した日本赤軍グループ五名により乗っ取られた事件。

機は、バングラデシュの首都ダッカのジア空港に着陸し、犯人グループが人質（乗員十四名、乗客百四十二名〈犯人グループを含む〉）の身代金六百万ドルと、日本で服役・拘留中の九名の釈放および日本赤軍への参加を要求、拒否あるいは回答なしの場合、人質を順次殺害すると告げた。日本政府は十月一日、要求を受け入れ、同日、身代金と、釈放に応じた六名などを現地に送った。

日本赤軍は日本の新左翼系武装組織。一九七〇年代から八〇年代にかけて多数のゲリラ事件やテロ事件、ハイジャック事件を起こし、未だ国際手配中の犯人もいる。

ＮＰＯ法人抱樸《ほうぼく》は、「あんたもわしも　おんなじいのち」という言葉を掲げて活動を続けている。炊き出しのテントには、この言葉が大きく書かれている。意味は読んで字のごとくで「至極当然のこと」だ。

作家の雨宮処凛《あまみやかりん》さんが台東区の件に触れた文章の中で抱樸について書いてくれた。

なぜ、「おんなじいのち」なのだろう？（中略）そんなに大きく書くほどのことなのかな。（中略）しかし、今回のことを通して、痛感した。「おんなじいのち」と、常に声を大にして、テントにも大きく書いておかないと、そんなことすら理解してもらえない。同じ命という扱いを受けられない。それが、この国のホームレスを巡る実態なのだ。

実は、この言葉を掲げるようになった理由は二つある。

一つは、不条理な排除社会への抵抗の意志である。排除社会の現実に抗するために「おんなじいのち」を掲げ続ける必要があった。

もう一つは「自戒」の念である。一九九七年から九八年にかけてホームレスが急増した。自殺者が三万人を突破した時期に重なるが、アジア通貨危機の中、山一証券など企業倒産が相次いだ。

それまで炊き出しは、すべて巡回型で行っていた。一晩に数十キロ移動しながら路上で暮らす一人ひとりを訪ね回った。そして、その場に座り込んで話し込み、時には一緒に食べた。当時は週休二日の時代ではなく、炊き出しは土曜日の夜。救急搬送などがあると、明け方まで活動は続く。牧師である私（翌日が礼拝）にとって、それは大変な日々だったが、大切な日々だった。

一九九六年、増加しつつあったホームレスの現状に対応するため、炊き出しのスタート地点を公園にし、当事者にまず集まってもらうことにした。そして、その場に来られない人のところには、今まで通り巡回する形にした。「拠点炊き出し」のスタートである。

当事者と共にテントを立て、準備が整うと机を配置した。テントの中にボランティア、外側におじさんたちが並ぶ。私はメガホン片手に「はい、ちゃんと並んで！」と呼びかけていた。

すると列の中から声が上がった。「奥田さん、ついこないだまで弁当を一緒に食べてたやないか。なのに今日は俺たちに『並べ』と命令する。あんた、いつからそんなに偉くなったんか。あんたもわしも、おんなじいのちやないのか」と。恥ずかしかった。私たちの中に、すでに分断線は引かれていたのだ。「支援する側」と「支援される側」。「偉そうにしている側」と「情けなく並ばされる側」。

私たちは「あの日の恥ずかしさ」を忘れまいとテントにあの言葉を掲げるようになった。あの言葉は常に私たちを問い続けている。

台東区の対応が問題であるのは言うまでもない。しかし、その背後に私も含めた分断の現実があり続けているのではないか。その現実に向き合わない限り、「抗議申し入れ」だけをしても何も変わらない。

「おんなじいのち」。

私たちは、この普遍的価値に立ってこれからも活動を続ける。普遍的価値をないがしろにするものとは断固闘う。しかし、それは「あの日、恥ずかしかった自分」との闘いでもあるのだ。そのことを心に刻みたい。

ホームレス自立支援とは何であったのか

(2019/11/07 note)

「ホームレス自立支援法」が成立したのは二〇〇二年夏。以来「ホームレス自立支援」は「国の責務」となった。北九州市においても二〇〇四年から官民協働のホームレス支援が始まった。二〇〇三年、初の全国実態調査で二万五千人以上のホームレスの存在が確認された。あれから十七年、ホームレスの数は五千人を切った。「ホームレス自立支援は有効に機能した」と言いたいが、現実はそう単純ではない。

先日、台風十九号が各地を襲った。「いのちを守る最大限の努力を」とテレビは呼びかけ続けていた。その最中、避難所を訪れたホームレス者に対して、東京都台東区は入室を拒否。嵐の中に追い出したのだ。先に述べた通り「ホームレス自立支援の成果」は明確であり、ホームレスの人数は激減した。だが、台東区の一件は「社会は何も変わっていない」という事実を私たちに突き付けた。

この間、厚生労働省も国土交通省も「居住支援」を政策テーマとしてきた。「住宅確保要配慮者」という少々仰々しい名前も定着してきた。「要配慮者」のなかには、ホームレスも当然含まれている。入居に際して、不動産オーナーの八割が高齢単身者に対して、七割が外国人に対して否定的感情を抱いている。これをみんなで何とかしようというのが「居住支援」である。しかし、避難所にさえ入れてもらえない人が、アパートに入居することなどできるのだろうか。ホームレスや刑務所出所者に対しては、八割では収まらない拒否感があることは、今回の件で明白である。

この間「経済的格差」が問題となってきた。だが、今回のことは、もはや「いのちの格差」が問われる時代となったことを示している。なぜ、こんなことになったのだろうか。

ホームレス自立支援には、常に相反する二つの「動機」が存在した。一つは「いのちを守る」ということであり、「野宿するその人を大切にする」ということだ。本来、それだけで十分なのだ。しかし、もう一つの動機が存在する。それは「地域の治安のため」であり「町の活性化のため」である。後者の動機においては、ホームレス自立支援は「合法的な排除」の危険性を持つことになる。「自立支援の成功」で街中からホームレスの姿が消え、人々は「ホームレス」と向き合う機会を失った。そして、悩むことも、考えることもしなくなった。問題にならなくなったのだ。それは良いことだったのか。

「ホームレス自立支援」が前者の動機で貫徹されたなら、社会は「いのち」に対する深い洞察と共感、そして「普遍的価値」を見出《みいだ》すことになっただろう。しかし、後者の動機であったなら、かつてホームレス排除に動いた地域が「自立支援」の名の下、ホームレスに街から「穏便に退場していただく」ことで終わる。それが「きれいなホームレス排除」にすぎないのなら、今回の事態は当然の帰結だと言わざるを得ない。公園に増え続ける「仕切り付きのベンチ」が何を意味しているのか、考えることなく平然と腰かける私たちはどこに向かうのか。

改めて言うが「ホームレス自立支援」の目的は、当の「その人が生きることであり、その人として生きること」である。

ホームレス自立支援の目的は、「社会啓発」ではない。繰り返すが、「本人のいのちを守ること」が目的だ。しかし、ホームレスが「社会的排除」の対象であり続けていることが今回のことで明らかになった限り、社会の在り方、自立支援施策の在り方そのものを問う必要はある。それゆえ「ホームレス自立支援」は、「対個人（ホームレス本人）」であると共に「対社会」の事柄であらねばならない。法整備から十七年。台東区は日本三大寄せ場である山谷を抱える地域である。数多く支援団体も存在する。その地域で今回のことが起こったのは、私たちが担ってきた「ホームレス自立支援」が分断社会を変革するところには至っていないことを明らかにした。ホームレス状態にある人が自立することと「社会自体の発展」は同時的な事柄でなければならない。今回のことは、私にとっての活動開始三十年間の活動の本質を問う出来事となった。

Memo

トピック
パウロ・フレイレ
〈Paulo Regulus Neves Freire: 一九二一－一九九七〉

ブラジルの教育学者、哲学者。大学で法律学を学んで弁護士になるも、すぐに引退。農村の貧しい農夫たちへの識字教育に携わった。その経験から、人々が自分の境遇に意識的になり、生活を変えていく力としての言葉の読み書きを身に付けるための教育を確立した。「意識化」「エンパワメント」「ヒューマニゼーション（人間化）」といった語で知られ、二十世紀の教育思想、民主政治の在り方などに大きな影響を与えたと言われる。主著『被抑圧者の教育学』が有名。

支援は、常に普遍的でなければならない。教育者のパウロ・フレイレは、被抑圧者の解放は、抑圧者の解放をもって完成することを指摘した。私は牧師だが、キリスト教も同様の問題を抱え続けている。一人の人の救いは万人の救いと同義でなければならない。すなわち「クリスチャンだけが救われる」と教える限り、教会は「差別」の当事者にすぎない。ホームレス支援が世界の解放に資するのでなければ「ホームレス支援などしない方が良い」とさえ私は思う。台東区の一件は、二〇〇二年以後のこの国のホームレス対策の本質と、現場の支援活動の在り方を問う出来事だったと思う。

これは言いすぎだろうか。

生産性とは何か――手段は目的に従属する

（2019/12/14 note）

昨年六月、「生産性向上特別措置法」が施行された。八月、自民党の杉田議員が『新潮45』において「LGBTは子どもをなさないから生産性がない」と投稿。二〇〇四年、ホームレス自立支援センター開所に対する住民反対署名。「市の中心部の高価な地所に生産性の低い施設を配置するよりももっと高生産性の施設を考えていただきたい」。

二〇一六年、神奈川県相模原市。「障害者は生産性が低い」「不幸を作り出すことしかできない」を理由に障害者殺傷事件が起こる。

生産性とは何か。

ウィキペディアなどによれば、「経済学において生産活動に対する生産要素（労働・資本など）の寄与度、あるいは資源から付加価値を産み出す際の効率の程度」を生産性と言う（らしい。難しいなあ）。

より少ない労力や材料からより多くの結果を産むと「生産性が高い」ということになる。苦労が少なく、結果が良いのなら結構なことかも知れないが、一方で生産性は、人間を分断する「基準」となっている。

生産性の第一の問題は、生産性が、経済の事柄、つまり「儲《もう》かるか」ということに特化されて用いられる点にある。

「カジノ法」案が議論噴出の中、成立してしまうのも、やはり「儲かるから」だ。ギャンブル依存症が増えると国会さえ認めている（附帯決議参照）。にもかかわらず人の不幸を踏み台にしてでも経済成長したいと、法は成立した。

二〇一六年十二月、『読売新聞』は、社説において次のように指摘している。

そもそもカジノは、賭博客の負け分が収益の柱となる。ギャンブルにはまった人や外国人観光客らの〝散財〟に期待し、他人の不幸や不運を踏み台にするような成長戦略は極めて不健全である。

（『読売新聞』二〇一六年十二月二日付朝刊社説「カジノ法案審議　人の不幸を踏み台にするのか」より）

全くその通りだと思う。

生産性を経済やお金の問題以外の事柄として語ることはできないのか。儲からないが、いや、逆にお金は減るが人が幸せになった。それを「生産性が高い」と言ったらだめなのか。

そもそも本来の「経済」という言葉は、「經世済民《けいせいさいみん》」という中国古典に由来しており、「世を經《おさ》め、民を濟《すく》う」ということなのだが。

Memo

トピック
「カジノ法」

正式名称は「特定複合観光施設区域の整備の推進に関する法律」。カジノを中心とする複合観光施設の整備を進めるための法律で、二〇一六年十二月に成立、翌年一月七日に公布、施行された。「統合型リゾート整備推進法」「IR法」とも呼ばれる。

衆・参内閣委員会の審議で、「刑法」の賭博罪との整合性をとること、IR区域認定数の上限を法定化すること、カジノに厳格な入場規制を導入すること、ギャンブル等依存症患者への対策を抜本的に強化すること（そのための十分な予算確保を含む）、独立した強い権限を持つ三条委員会としてカジノ管理委員会を設置することなど、十六項目の附帯決議がなされた。

運営業者の選定基準やカジノ規制、依存の防止の措置など具体的な規定は、二〇一八年七月成立の「特定複合観光施設区域整備法」に定められている。

第二の問題は、生産性は「手段」にすぎないということ。

生産性向上は何のためか。なぜ、お金が必要なのか。

答えは簡単。「人が幸せになるため」にほかならない。それが「目的」であり、「生産性」はそのための「手段」にすぎない。

しかし、いつの間にか「手段」が「目的」になってしまう。

生産性向上が「目的」とされる時、そのために人を犠牲にすることも、差別することも平気でやる。ついには「役に立たないやつは殺せ」となる。

「手段」の「目的化」は他にもある。原子力発電は、人が幸せになるための「手段」だった。しかし、いつしか原子力発電自体が「目的」となり、どんな重大事故が起こっても、安全性に問題があっても止めないという矛盾を抱え続けている。

さらに、平和を守るために戦争をすると言う。こんな変な話はない。「手段」は常に「目的」に従属していなければならない。だから、平和（いのちを守る）という「目的」のために戦争（殺す）という「手段」は成立し得ない。

それでも平和のための戦争と為政者が言うのなら、それは戦争が「目的」となった証拠である。「手段」の従属性を軽んじると、本来の「目的」に対する責任の懈怠《けたい》（なまけ）は必至となる。

繰り返す。生産性は人が幸せになるための「手段」にすぎない。

最後に、では生産性とは何か。「障害福祉の父」と呼ばれる糸賀一雄《いとがかずお》さん（p136参照）は、著書『福祉の思想』において「生産」について語っている。

この子らはどんなに重い障害をもっていても、だれととりかえることもできない個性的な自己実現をしているものなのである。人間とうまれて、その人なりの人間となっていくのである。その自己実現こそが創造であり、生産である。

（糸賀一雄『福祉の思想』ＮＨＫブックス、一九六八年より）

糸賀さんは、自己実現こそが生産だと言う。生産性が高い社会とは、その人がその人として自己実現ができる社会を言う。

聖書の「ルカによる福音書」第十二章。豊作で倉を建て長年分の食糧を貯め込んだ男が登場する。「さあ安心せよ、食え、飲め、楽しめ」（第十九節）と言う男に、神は「愚かな者よ、あなたの魂は今夜のうちにも取り去られるであろう。そしたら、あなたが用意した物は、だれのものになるのか」（第二十節）と問う。幸せになるつもりで富を増やしたこの男は、一番大事なものを見失っていたのだ。

神の創造された世界とドブネズミ

（2020/01/16・18 note）

■二〇二〇年一月一日東《ひがし》八幡《やはた》キリスト教会新年礼拝における説教
宣教題「神の創造された世界とドブネズミ」
聖書「創世記」
一・三一　神が造ったすべての物を見られたところ、それは、はなはだ良かった。夕となり、また朝となった。第六日である。

はじめに

毎年干支にちなんで宣教をしている。深い意味はない。

一九九〇年の赴任以来、今年で三回目の「子年《ね》」となる。干支と聖書は当然無関係。二周目に突入した時に「やめよう」と思ったが、やめる勇気がなく続いてしまっている。人生は常にそんなものなのかも知れない。

今年は、子年、ネズミだが、聖書には「これ！」と言った記事がない。十二年前も困ったような記憶がある。「モグラネズミ」とか「トビネズミ」などが聖書には登場するが、この方々は、動物の分類上はネズミとは別の生き物だそうだ。さて、どうしたものか。

１．ネズミと言えば

ネズミと言えば強烈な思い出がある。通っていた小学校の中庭には、ニワトリ小屋とウサギ小屋があった。小屋と言ってもキチンとした建物で中庭はちょっとした動物園のようだった。それぞれの小屋は埋設式の排水溝でつながれていた。

ある日、ウサギ小屋の掃除をしていると、排水溝からコゲ茶色の物体が飛び出してきた。大きさは猫ぐらい。そいつが突進してきたのだった。中庭は、奥田少年の悲鳴に包まれた。それはウサギでも猫でもなく、巨大なネズミだった。悲鳴を聞きつけた担任の西川《にしかわ》先生が「奥田君、それはドブネズミです。絶対に触らないようにしてください。絶対にですよ」と真顔で注意されるものだから、僕の中に一層恐怖感が募った。

以来、僕にとってネズミは「ドブネズミ」であり、ミッキーマウスが微笑《ほほえ》もうが、ジェリーが可愛《かわい》かろうが、一切関係ない。

ネズミと言えば、あの巨大「ドブネズミ」が一番に頭に浮かんでしまう。


それでこの唯一の記憶であるドブネズミについて、礼拝で語るしかないと決め、紅白歌合戦も見ないでいろいろと調べてみた。そこで私は大変な発見をしたのだった。

ドブネズミをネットで検索するといろいろと見つかるわけだが、この名称自体は当然ニックネームと言うか、ただの通称、あだ名だと思い、「こいつの本名を調べてやろう」とさらに検索したところ、なんと、これが本名だったことが判明した。ドブネズミに同情してもとは思うが、しかし、この本名はどうかと思ってしまった。誰が命名したのか知らないが、正式名称「ドブネズミ」はナシだろうと。


例えば、子どもの頃、よく土間で見かけたバッタみたいな、コオロギの親玉みたいなやつがいた。私の田舎では「便所コオロギ」というありがたくない呼称で通っていた。しかし、当然これは本名ではなく、正式名称は「カマドウマ」という立派なお名前が付いていた。あるいは

「ハエトリムシ」という、これもパッとしない名前の虫がいる。これは皆よく知っている「カマキリ」の別名だ。いくら「便所コオロギだ」「ハエトリムシだ」と罵倒されても立派な本名があれば何とか耐えられる。

しかし、あのお方は、本名が「ドブネズミ」だった。これは、かわしようがない。

「ドブ」は、あの「ドブ」だ。みんなが嫌っているあの「ドブ」。小学校の中庭の地下にあり、常にニワトリやウサギの糞尿《ふんにょう》まみれの汚水が流れているあの「ドブ」なのだ。あるいは昔、下水道が完備されていなかった時代に何でもかんでもが流されて、何とも言えない「悪臭」を放っていた、あの「ドブ」だ。誰もそれに触れたくない。

そんなところに住んでいるのは事実だけど、それを名前に付けられるのは、どうかと思う。だから、この命名が本人によるものではないのは確かだと思う。

自分から「僕はドブネズミでーす」と言う人はいない。本人ではない「何者か」によって命名されたのだ。他人を「ドブ」呼ばわりして平気な人がいる。あるいはそのようにして他人を侮蔑することに喜びを感じている人が現にいる。それが「ドブネズミ」という名前の意味することだと思う。

それはいかんと思う。考えてみると、あの名前に耐えながら立派に「ドブネズミ」を生きている、あの方に対して恐怖を超えて愛《いと》おしさ、いや尊敬の念を覚え始める。それが今年の元旦の出来事だった。

「何を熱く語っているんだ、この牧師は?」と思って聞いておられる方がいると思うが、もう少しお付き合いいただきたい。私は、こういう「ありがたくない名付け」が今の世界に広がりつつあると見ている。昨今、この社会は、そんな殺伐とした空気に包まれている。

2. リンダ・リンダの衝撃

「ドブネズミ」への恐怖を持ったまま奥田青年は大学に進学。そして大学院生をしていた一九八七年、衝撃が走った。ロックバンド「ザ・ブルーハーツ」の「リンダリンダ」が大ヒットしたのだ。作詞、作曲、ボーカルを担当したのは甲本《こうもと》ヒロト。彼はこのように熱唱した。

ドブネズミみたいに美しくなりたい／写真には写らない美しさがあるから

リンダリンダ……／リンダリンダ……
もしも僕がいつか君と出会い話し合うなら／そんな時はどうか愛の意味を知って下さい
リンダリンダ……／リンダリンダ……Oh
ドブネズミみたいに誰よりもやさしい／ドブネズミみたいに何よりもあたたかく
リンダリンダ……／リンダリンダ……
もしも僕がいつか君と出会い話し合うなら／そんな時はどうか愛の意味を知って下さい
愛じゃなくても恋じゃなくても君を離しはしない／決して負けない強い力を僕は一つだけ
持つ
リンダリンダ……／リンダリンダ……Oh
リンダリンダ……／リンダリンダ……Oh
リンダリンダ……／リンダリンダ……Oh

「ドブネズミ」って決めつけているが、それでいいのか。

「ドブネズミ」の持つ美しさを知っているか。「ドブネズミ」の優しさを知っているか。「ドブネズミ」のあたたかさを知っているかと、ブルーハーツは問うのだった。そもそも「ドブネズミ」の何がだめなのかと。

この歌が世に出た頃、僕は釜ヶ崎に通う学生生活を送っていた。当時は、あまり授業に出なくても卒業できるいい時代だった。

僕は、大学入学と同時に日本最大の日雇労働者の町、釜ヶ崎と出会った。そんな日々の中で「リンダリンダ」がラジオから聞こえてきた。釜ヶ崎のみならず、大阪市内の路上にはホームレス状態の人々があふれており、毎日のように人が路上で死んでいった。「行路《こうろ》病死」。学校では習わない新しい言葉を現実が教えてくれた。一命を取り止め、あわよくば入院できたとしても「釜《かま》病棟」と呼ばれる病棟に入れられる。それは、釜ヶ崎から搬送された労働者専用の病棟だった。

明らかに一般病棟とは違う老朽化した施設。看護師も医師も「医療福祉関係者」とは違う雰囲気を漂わせていた。「ケタ落ち」という言葉を釜ヶ崎で耳にする。それは「一桁違うぐらい悪い」という意味だ。救急搬送されても「ケタ落ち病院」にたどり着くのが関の山。それが釜ヶ崎の労働者の現実だった。

路上で人が死んでも新聞には一切載らない。「釜のアンコがまた死んだ」で済まされる。ちなみに「アンコ」とは日雇労働者に対する「蔑称」。海底に沈む魚のアンコウが語源という説があるが、いずれにせよ「海底のアンコウ」のごとき最底辺にいる人々の現実と、それを世間が見向きもしない現実が混在した言葉として僕には聞こえていた。

「所詮アンコだろう」「そもそもホームレスになったやつが悪い」。これが、社会の本音だった。アンコもまた、ドブネズミ同様に、誰かによって付けられた名前だったのだろうと思う。

しかし、私はそんな「アンコの親父《おやじ》さんたち」から実に豊かで多くのことを学んだ。人のつながりの大切さ、働くということの誇り、不条理に対する怒り、人のはかなさ、人の弱さ、さらに必死に生きようとする人間の美しさ、人の優しさ、あたたかさ。

学生の私は、時折釜ヶ崎から日雇仕事にも出かけた。

社会経験のためと言えば格好も付くが、本当のところは貧乏学生の小遣い稼ぎにすぎなかった。「足元を見られる」と言うが、まさにその通りで、仕事に行こうとすると履物で学生であることがバレてしまう。すると日当を値切られる。ただ、値切られても当然で、学生の私は現場では足手まといにすぎなかった。

スコップには「角スコ」と「丸スコ」という種類があって（と言うか、そんなことも知らないで建築現場に行っていたこと自体大変恥ずかしいことだったが）、四角い形の「角スコ」は砂や土を運ぶのに使い、「丸スコ」は、先のとがった丸みのあるスコップで、主に穴を掘る時に使う。ある日、溝を掘るという工事現場に行った。U字溝を埋設するために「升」用の穴を掘るように指示された。溝の方向を変えるために角々に「四角い升」を埋め込み、そこで溝の方向を変える。升をはめ込むには正方形の穴を掘らねばならない。だが、これができない。「丸スコ」では、どうしても角がとれず、穴は楕円に広がっていった。

悪戦苦闘していると、一緒に現場に来た親父さんから「何やってんねん。学生邪魔や。あっち行け」と怒鳴られた。そして、その親父さんは、見事に「丸スコ」で正方形の穴を掘ったのだった。思わず「すごい！」と驚嘆すると「俺は仕事師やからなあ」と誇らしげだった。

一日が終わり日当を受け取り、帰ろうとした時、親父さんが「おい学生。お疲れ。一杯行くか」と誘ってくれた。それで二人で飲みに行き、穴の掘り方、仕事の仕方、親父さんの身の上話など、しみじみ聞かせてもらった。

別れ際「学生、懲りずにまた来いよ」と声をかけ、親父さんは町のどこかに消えていった。二人分の飲み代を払ってくれた親父さん、日当は、ほぼなくなったのだった。

世間は「釜のアンコ」と蔑《さげす》んでいたが、あの頃の僕は親父さんのカッコ良さに憧れた。そんな僕に「リンダリンダ」は響いた。「アンコ」のどこが悪い。「アンコ」の何が違う。「アンコ」の美しさを知っているか。「アンコ」の優しさ、あたたかさがわかるか。

甲本ヒロトのシャウトする「ドブネズミ」は、そのまま「アンコ」に変換されて、僕の心に届いた。

あれから三十年以上が経《た》ち、この国では、人を「ドブネズミ」呼ばわりすることが増えたように思う。社会の分断、人と人との分断はますます深刻になりつつある。世界は、対立の中に置かれている。自国ファーストを恥ずかしげもなく主張する指導者は、当然の帰結のごとく他国人を蔑む。

二〇一六年七月、相模原市の障害者施設津久井やまゆり園において障害者十九人が殺され、二十六人が重軽傷を負うという事件が起きた。犯人の青年は、「障害者は生きる意味のないいのちだ」「障害者は不幸を作り出す」と決めつけ、特に言葉でコミュニケーションできない人に「心失者」という名を付けていた。

事件は言語道断だが、殺人までには及んでおらずとも、実はそのようなこと、あるいは感覚は、現在の日本社会に見受けられるのではないか。私は、正直心配になる。傲慢で、卑劣な名付けが横行しているように思うのだ。

「あいつはドブネズミだ」「あいつはアンコだ」「あいつは心失者だ」「あいつは外人だ」「あい

つは朝鮮だ」「あいつは役立たずだ」「あいつは迷惑だ」。そんな言葉を聞くたびに、心がえぐられる。それでいいのか。そんな勝手な「名付け」を許してはいけない。

「ドブネズミ」と侮蔑された人々が持つ「優しさ」「あたたかさ」、写真には写らない「美しさ」を私たちは知らねばならないのだ。

3．天地創造における神の思い

そこで、そもそも神がこの世界を創造された時の思いとは何であったのかを確認しようと思う。つまり、私たちが勝手な「名付け」の挙句、差別し、貶《おとし》めた世界、そして隣人とは何であったのかを知りたいと思う。神様が天地創造において持たれた意思を無視して何を言ったとしても、「それは君たちが勝手に言っていることにすぎない」と神様から叱られるだろうと思うからだ。

旧約聖書「創世記」第一章にある「天地創造の物語」を読みたいと思う。

「俺は無神論者で神が天地を造ったなどロマンチストのたわごとだ」と思う人もいる。あるいは「すべては進化という必然的競争の結果だ」と考える人もいる。私の場合、こう見えてもロマンチストであり、おセンチ者でもあるので、神様が思いを込めてこの世界のすべてを造ってくださったと信じたい。よもやサルから進化したでは、元気が出ない。すべての事柄、出来事には、神の思い、すなわち愛が込められていると信じる。私たちの目にはどう映ろうとも。

創造物語は、一週間で世界が創造された「創世記」第一章の物語と、人間の創造に中心を置く第二章の物語がある。本日取り上げるのは主に第一章。少々長いが引用する。

一・一　はじめに神は天と地とを創造された。
一・二　地は形なく、むなしく、やみが淵《ふち》のおもてにあり、神の霊が水のおもてをおおっていた。
一・三　神は「光あれ」と言われた。すると光があった。
一・四　神はその光を見て、良しとされた。神はその光とやみとを分けられた。
一・五　神は光を昼と名づけ、やみを夜と名づけられた。夕となり、また朝となった。第一日である。
一・六　神はまた言われた、「水の間におおぞらがあって、水と水とを分けよ」。
一・七　そのようになった。神はおおぞらを造って、おおぞらの下の水とおおぞらの上の水とを分けられた。
一・八　神はそのおおぞらを天と名づけられた。夕となり、また朝となった。第二日である。

一・九　神はまた言われた、「天の下の水は一つ所に集まり、かわいた地が現れよ」。そのようになった。
一・一〇　神はそのかわいた地を陸と名づけ、水の集まった所を海と名づけられた。神は見て、良しとされた。
一・一一　神はまた言われた、「地は青草と、種をもつ草と、種類にしたがって種のある実を結ぶ果樹とを地の上にはえさせよ」。そのようになった。
一・一二　地は青草と、種類にしたがって種をもつ草と、種類にしたがって種のある実を結ぶ木とをはえさせた。神は見て、良しとされた。
一・一三　夕となり、また朝となった。第三日である。
一・一四　神はまた言われた、「天のおおぞらに光があって昼と夜とを分け、しるしのため、季節のため、日のため、年のためになり、
一・一五　天のおおぞらにあって地を照らす光となれ」。そのようになった。
一・一六　神は二つの大きな光を造り、大きい光に昼をつかさどらせ、小さい光に夜をつかさどらせ、また星を造られた。
一・一七　神はこれらを天のおおぞらに置いて地を照らさせ、
一・一八　昼と夜とをつかさどらせ、光とやみとを分けさせられた。神は見て、良しとされた。

一・一九　夕となり、また朝となった。第四日である。

一・二〇　神はまた言われた、「水は生き物の群れで満ち、鳥は地の上、天のおおぞらを飛べ」。

一・二一　神は海の大いなる獣と、水に群がるすべての動く生き物とを、種類にしたがって創造し、また翼のあるすべての鳥を、種類にしたがって創造された。神は見て、良しとされた。

一・二二　神はこれらを祝福して言われた、「生めよ、ふえよ、海の水に満ちよ、また鳥は地にふえよ」。

一・二三　夕となり、また朝となった。第五日である。

一・二四　神はまた言われた、「地は生き物を種類にしたがっていだせ。家畜と、這《は》うものと、地の獣とを種類にしたがっていだせ」。そのようになった。

一・二五　神は地の獣を種類にしたがい、家畜を種類にしたがい、また地に這うすべての物を種類にしたがって造られた。神は見て、良しとされた。

一・二六　神はまた言われた、「われわれのかたちに、われわれにかたどって人を造り、これに海の魚と、空の鳥と、家畜と、地のすべての獣と、地のすべての這うものとを治めさせよう」。

一・二七　神は自分のかたちに人を創造された。すなわち、神のかたちに創造し、男と女とに創造された。
一・二八　神は彼らを祝福して言われた、「生めよ、ふえよ、地に満ちよ、地を従わせよ。また海の魚と、空の鳥と、地に動くすべての生き物とを治めよ」。
一・二九　神はまた言われた、「わたしは全地のおもてにある種をもつすべての草と、種のある実を結ぶすべての木とをあなたがたに与える。これはあなたがたの食物となるであろう。
一・三〇　また地のすべての獣、空のすべての鳥、地を這うすべてのもの、すなわち命あるものには、食物としてすべての青草を与える」。そのようになった。
一・三一　神が造ったすべての物を見られたところ、それは、はなはだ良かった。夕となり、また朝となった。第六日である。
二・一　こうして天と地と、その万象とが完成した。
二・二　神は第七日にその作業を終えられた。すなわち、そのすべての作業を終って第七日に休まれた。
二・三　神はその第七日を祝福して、これを聖別された。神がこの日に、そのすべての創造のわざを終って休まれたからである。

（「創世記」第一章、第二章）

七日目、最終日に神は安息をとられたのだ。天地創造は六日間でなされる。その中で繰り返し、繰り返し「神は見て、良しとされた」と述べられている。六日間で六回、神はこの世界が「良い」ことを宣言された。そして、創造の終わりに「神が造ったすべての物を見られたところ、それは、はなはだ良かった」と念押しされている。これが、聖書が描く世界の真の姿である。

そんな神は、自分の造った愛《いと》おしい存在が「ドブ」呼ばわりされ、「アンコだから、仕方ない」などと言われていることを悲しんでおられる。神が「良い」、しかも「はなはだ良い」とされたものを、私たちが勝手に侮蔑することは許されない。聖書は、数千年にわたってその事実を私たちに示し続けているのだ。私たちはそれを忘れ「ドブ」だ、「アンコ」だ、「心失者」「意味のないいのち」と言い放っている。これは大変いかんことだと思う。

「すべての物は、はなはだ良かった」。「すべて」という、この普遍的な響きに私は感動する。この普遍的な価値を新しい年の始まりに確認したいと思う。

揺らぐことのない神の宣言からこの一年を始めたいと思う。

二〇二〇年オリンピックイヤーを迎えた。

その日のために日々鍛錬を続けるトップアスリートの活躍は、多くの人に感動を与えるに違いない。かつて「スポ根ドラマ」に涙した私は、この夏の感動にひそかに期待を寄せている。ただ、オリンピックは、勝ち抜いた人だけが参加できる場であることは事実だ。そこには選ばれし者のみが参加できる。しかし、そんな「競争の祭典」であるオリンピックにさえ、かつて躊躇《ちゅうちょ》する時期があった。

有名な「参加することに意義がある」という言葉がある。この言葉は、第四回ロンドンオリンピック（一九〇八年）において、アメリカとイギリスとの対立が起こり、両国民の感情的対立が悪化していた時、教会のミサで語られた「オリンピックで重要なことは、勝利することより、むしろ参加したということ」という言葉を、当時のＩＯＣ会長のクーベルタンが取り上げたと言われている（日本オリンピック委員会『近代オリンピック１００年の歩み』ベースボール・マガジン社、一九九四年より）。

オリンピック好きの私ではあるが、分断、差別、ヘイトクライム（憎悪犯罪）にあふれる現在の日本社会の現実を踏まえると、私たちは、あえてこう言わねばならないだろうと思う。「参加することに意義があるに異議がある」。人生には、参加できない日もある。どうしても戸に鍵をかけて引きこもらなければならない時もある。

「参加しないと意味がない」。果たしてそうか。

共生社会が課題となっている。共に生きることは重要だ。人は一人では生きていけないからだ。しかし、共生できていなくても生きている、存在しているだけで「はなはだ良い」と神様は喜んでくださった。共生を強制することはできない。「すべてははなはだ良い」という普遍的宣言が共生の土台でない限り、共生を強制することはできない。

参加できなくても生きている。すべての存在は、それ自体に神が「はなはだ良し」とされたかけがえのない価値がある。それを私たちの勝手な思いで貶めてはいけない。勝手に「ドブネズミ」と言って蔑んではいけない。

「神が造ったすべての物を見られたところ、それは、はなはだ良かった」。

私たちは、二〇二〇年をこの聖書の言葉をもって始めたい。

誰が、何と言おうと、どんな変な名前が付けられようと、この神の言葉を覆すことはできない。私たちは、お互いを「はなはだ良い存在」として尊重する。少々騒がしい年となると思うが、心を落ち着けて神の天地創造の思いをかみしめ歩んでいきたいと思う。

新しい年にあたり、すべての人の上に神様の祝福がありますように。

祈ります。

やまゆり園事件植松被告の死刑判決を受けて
――今生きているということの絶対的な価値をつくる

(2020/03/16 note)

本日、相模原市の知的障害者施設で入所者十九人を殺害した罪などに問われた元職員の植松《うえまつ》聖《さとし》被告へ、求刑通り死刑が言い渡された。

第十回公判で、姉を殺害された弟が植松被告に「コンプレックスが事件を引き起こしたのでは」と質問した。植松被告は、「確かに。こんなことしないで、歌手や野球選手になれるならなっているが、(殺傷事件は)自分ができる中で一番有意義かなと感じます」と答えていた。

第十一回公判でも、別の被害者の代理人が関連質問した。

代理人「歌手とか野球選手だったら事件は起こしていないのか」

植松被告「そうだと思う」
代理人「思想は変わるのか」
植松被告「そんな事件は考えもしなかったと思います」

以下は、本日『ＮＨＫ　神奈川　NEWS WEB』へ掲載された記事での、私の発言である。

障害者福祉に携わった人がその在り方を問うたということではなく、結局は野球選手になれていたら殺してないという、そんな薄っぺらい話なのかと思った。出番がない人間が出番をみずからつくった事件で、ヘイトクライムですらないのかも知れない。「生きる意味があるか」というのは、実は現代においては自問で、それを被告は障害者に向けたが、根っこのところでは彼自身がおそらく「俺は生きる意味があるのか」と自問していたのではないか。

障害のある人たちと一緒にどう生きていくのかが問われたのがこの裁判だった。彼が言った「価値のない命と価値のある命」という生産性の議論で、私たちは本当に闘う気持ちになっているだろうか。「あいつは極端な人殺しだ」とおさめてしまったら、何もこの事件から得ることができない。「今生きているということの絶対的な価値」を言い切る社会をつくれるのか。彼が持ち出した価値観や主張を私たちは本当に根絶できるのか。本当の勝負は裁判が終わってからになる。

（『ＮＨＫ　神奈川　NEWS WEB』「裁判を傍聴・取材した専門家は」より）

ステイホームとフロムホーム。たとえ離れていても、家からできることをやろう！

（2020/04/26 note）

1．行動制限の中で

新型コロナの感染が止まらない。東京都知事は、大型連休を「いのちを守るステイホーム週間」として「あなたのいのちを、家族を、大切な人を、社会を守るため新型コロナウイルスの感染拡大をくい止める。大型連休の外出を自粛。STAY HOME ウチで過ごそう！」と呼びかけた。

感染拡大を止めるためには、八割の行動制限が必要だという。東八幡《ひがしやはた》教会も礼拝は続けるが、自由参加（自宅で礼拝を守っても良い）とし、教会活動の八割以上を制限した。

2. いのちを守るとは

確かに「ステイホーム」は重要だ。だが、それだけでは「いのちを守る」ことはできないと思う。なぜならば、この社会には「ステイホーム」できない人々がいるからだ。仕事に出ないと生きていけない人がおり、テレワークでは成立しない仕事がある。雇い止めや派遣切りで社員寮を出された人、ネットカフェの閉鎖に伴い居場所を失った人々など、「家」がない人はそもそもステイできない。

政府のマスクが届き始めた。今後、全国民に十万円が配られる。これで一時をしのげる人はいる。ただ、マスクも給付金も届かない人も存在する。これらの人々は、今どのような気持ちで過ごしているだろうか。「自分は忘れられているのではないか」「自分は見捨てられたのではないか」。

私たちは、「家の中で」、彼らのことを心に刻まねばならない。彼らの孤独を想像しなくてはいけない。そして、彼らに伝えるのだ。「あなたのことを忘れていません。あなたをひとりにはしません。見捨てません」と。

3. 家からできること――フロムホーム

ステイホーム（家にいる）は、「感染しない、感染させない」という意味で確かに「いのちを守る」ことになる。繰り返すが、それだけでは足りないのだ。「家からできること（フロムホーム）」を考えよう。ステイホームがフロムホームと一体となる時、私たちは本当に「いのちを守る」ことができる。たとえ遠く離れていても、私たちは寄り添うことができる。

給付金支給が発表された直後、一人の男性が訪ねてこられた。「給付金をもらえない人のために使ってください」と封筒を渡された。中には十万円が入っていた。まだ給付は始まっていないが、すでに困っている人がいるだろうとその方はおっしゃった。翌日、今度はこのようなメールが届いた。「いつも困っている方々の力になっておられる皆さんに敬意を表します。布マスクを有効利用してくださると知りました。届き次第お送りしたいと思っています。また、一人十万円もホームレスの方には届かないのではと心配です。私には家もあり生活も賄えていますので、そのお金も支援したいと思います。ほんとに困っている人に届くならとてもうれしいです。お忙しい中恐れ入りますがよろしくお願いいたします」とあった。胸が熱くなった。この国はまだ大丈夫、と思えた。

「人と会わないことがいのちを守ることになる」。確かにそうだ。だが貧弱だ。薄っぺらな

「大儀」に身を隠し、実際には他人のことなど考えていない。もしそうならば、コロナを生き延びたとしても、そんな国（民）はいずれ滅びる。「家から」できることを考えたい。

給付金をみんなのために使いたいと思う人は、その一部でも寄付したい人は、ぜひ、抱樸《ほうぼく》に託していただきたい！

ラジオ番組より

今、人間として

（2020/05/17 NHKラジオ第2放送『宗教の時間』）

新型コロナウイルスの感染拡大に伴う緊急事態宣言が出て一か月以上が経《た》ちます。いまだ外出の自粛が求められる地域がある一方で、失業や地域経済の破綻などの懸念も高まっています。今、困難なこの時代に、私たちに何が求められているのでしょうか。

コロナで露呈する社会の脆弱性

――奥田さん、昨日も遅くまで路上で暮らす人たちのための炊き出しを行っていたということなんですけれども、先月末には住まいや仕事を失う人を支えようというプロジェクトも立ち上げられて、一億円を目標とするクラウドファンディングを始められたというふうに伺っています。かなり思い切った計画だと思うんですけれども、それはどういうところから。

奥田　私自身は、困窮者の支援を始めてもう三十二年になります。私の分野で言うと、最も特徴的なのは不安定な就労が増えたということなんですね。今から三十二年前、正規雇用率は八十五パーセントを超えていました。三十年経って、正規雇用率は今や六割。非正規雇用の労働者が四割を占めています。実数で言うと二千万人ぐらいの方々が不安定な就労状態にいます。この数には失業者は入っていません。しかも、その不安定な非正規雇用の方々の一部に、派遣先のアパートとか、もしくは会社の寮というところに住み、働いている人がいます。つまり、仕事と住まいが一体化した住まい方というか働き方をされる方が増えたんです。景気のいい時、経済が回っている時はさほど問題じゃありません。逆に便利かも知れません。仕事と同時に家も確保されるわけですから。しかしですね、そもそもその仕事が不安定な雇用で、なおかつコロナ状況で経済が一旦止まり始めると、失業と同時に住宅を失うっていうことが起こるんですね。

これはリーマンショックの時もそうでした。今回は、それが拡大した形で起こるんじゃないか。もうすでに派遣切りや、雇い止めが起こっていまして、仕事を失うと同時に住宅まで失う人が今後増えます。

しかし、これは新型コロナウイルス感染症自体の問

Memo

抱樸による
新型コロナ緊急支援クラウドファンディング（募集期間：二〇二〇年四月二十八日から七月二十七日午後十一時まで）

趣旨：新型コロナ禍での自殺者・ホームレスの増加をなんとしても止めたい

目標：一億円

支援金の使途：次の三段階

①今すぐ必要な支援を、今すぐ届ける活動
- 総合相談や様々な支援制度へのつなぎ、生活物資の提供を含む生活支援、孤立しないための見守り支援
- 支援をする現場の徹底的な感染症対策を支援

②継続的かつ効果的に支援するための仕組みづくり
- 社会問題にもなっている地域の空き家を借り上げ、リフォームして住宅として提供
- 心と体の健康、生活、再就職、見守りなどを総合支援として実施

③札幌、仙台、千葉、東京、埼玉、名古屋、大阪、兵庫、岡山、福岡の十都市で支援付き住宅を準備
- 各地の支援法人と連携し、支援を全国に拡大。支援の方法は、⑴相談、⑵居住、⑶就労、⑷生活・孤立防止の四本とし、これらを既存の社会資源なども活用しつつ実施
- 全国での空き家を活用した、支援付き「住宅」の確保。一時的なシェルターではなく、すぐに生活が始められる家財と支援が付いた「住宅」を全国で百戸程度確保
- この活動を長期的に持続性ある仕組みとして成立させるために、抱樸《ほうぼく》からノウハウ提供や事業・支援に関するアドバイスを継続して実施

協力：村上財団によるマッチンググギフト（三千万円までの寄付金が二倍に）

【成果】

クラウドファンディングの寄付総額
115,786,000円

寄付者
10,285人

題ではなく、もともと、この社会が抱えていた構造的な問題だったと私は言いたいわけですね。

私たち、毎日コロナの状況を見ているようですけど、実はコロナの状況だけを見ているわけじゃなくて、こういう自然災害とか大規模な事態が起こった時に露出してくるのは、それまで社会が持っていた矛盾であるとか、もっと言うとその構造的な脆弱《ぜいじゃく》さみたいなもの。それらが拡張して露呈してくるっていうのが、こういう場面なんですね。

人類の英知を結集して、いずれワクチンや治療法が開発されると思います。いい意味でコロナとの共存ということが図れる時が来るだろう。しかしですね、コロナの後、ポストコロナの時代を考える時に、皆さんの正直な気持ちは、あの日に帰りたいっていうところだと思うんです、私もそうです。でも、今出てきている問題が、「あの日」が抱えていた問題だとすると、果たして、あの日に戻るっていうことが答えなのか。私は少し立ち止まって考えたいと考えます。そうなると、コロナの緊急対策としてプロジェクトを起こすっていうことと同時に、その前にあった「あの日」とは何だったのかをきちっと問うことが重要です。それがコロナの後、どういう社会、どういう世界をつくるべきなのかを考える前提ではないか。今回のクラウドファンディングのプロジェクトを立ち上げた背景には、そのような「問い」がありました。

支援者を支え、人を孤立させないために

奥田　今回のクラウドファンディングは、二つのプロジェクトが組み合わさっていまして、第一のプロジェクトとしては、困窮者の支援の現場のスタッフ、支援する人を支援するっていうことです。抱樸《ほうぼく》では、徹底した感染予防の対策をとったうえで、炊き出しや夜間のパトロールは続けています。しかし、感染防止を考え、炊き出しを中止せざるを得ないと判断した団体もあります。これは断腸の思いだと思います。私の三十年の現場の経験

から言うと、お金や物だけでは人は救われません。支える人の存在が重要なのです。だから、支援現場は「密」が基本です。だけど感染は避けなければならない。このジレンマの中に置かれています。

抱樸の活動理念は、ハウスレスとホームレスは違うということにあります。ハウスレスっていうのは「家がない」に象徴される経済的な困窮を意味します。もう一つのホームレスは、ホームと呼べる人とのつながりや絆《きずな》がなくなっている状態、つまり社会的孤立状態だと位置づけました。だから路上生活から自立できても、その後の生活が孤立していたら、それは人が人として生きるってことにはならないと考えたのです。やっぱり訪ねていって大丈夫ですかって言いながらやっていく。こういう支援する人の安全をちゃんと守る。各団体にマスクの提供をしたり、感染防止のための除菌関係の物資を配ったりとかですね。それが今始まりました。

第二弾としては、先ほど言いました、住宅と仕事の分離ですね。支援付きの住宅を提供して、入居と同時に、自立に向かって一歩が踏み出せるっていうものです。国土交通省の発表では全国で八百万戸以上の空き家があり、大きな政策的な課題となっていました。しかし、一方で住宅を確保できない人が多くいます。例えば単身者に貸したくないっていう大家さんが少なくない。家族がいないので入居者に何かあっても相談できない、特に亡くなった場合、死後事務を担当する人がいないということが大家さんが貸さない理由でした。じゃあ、家族的な機能を社会的に代替えする仕組みを作ることはできないか。今回、クラウドファンディングで集まった資金で全国十都市で、百軒から百五十軒、空き家を確保し、各地の団体が家族的な支援を実施する。それで大家さんも安心できるし、入居されるご本人も安心できるっていう仕組みを作ります。そうすることで住宅と就労を分離します。失業しても家まで失わない。これはポストコロナの時代に対する一つのモデル、実験なんですね。

――リーマンショックの時にはですね、孤立した若者が自らいのちを絶っていうことを目の当たりにされたと。人が孤立するということの問題の大きさっていうのを奥田さん自身が痛感されたということを以前伺ったかと思うんですけれど。

奥田　そうですね。自殺に追い込まれていく方々は、必ずしも経済的な困窮のみで自殺しているわけではありません。人は一人では生きていけないんです。この「ハウスレス」と「ホームレス」の問題、「経済的な困窮」と「社会的な孤立」というものが、人を死に追い込んでいく。この両方ともが解消されない限り、難しいと思うんですね。お金とか物に関しては、公的支援がまず必要です。だけど一方で、つながりや人と人との関わりということにおいてはですね、やはり国にすべてを任せるわけにいかないだろうと思うんですね。ほんとに、私たちは今試されていると思うんですね。感染したくないので独りぼっちで暮らさざるを得ない現状があります。それでもなお、つながっていこう、それでもなお、一緒に生きていこうとすることに努力を重ねるのか、ここが大きな踏ん張りどころだと思っています。

「アウトホーム」が支える「ステイホーム」

――今、いろいろな必要な施策、縷々《るる》お話しくださったと思うんですけれども、その施策の前提にあるのは、人間はどういう存在であるかとか、人間観の問題というのがその基盤に……？

奥田　そうですね。施策の議論というのは、具体的に何のサービスを提供するか、何を給付するかっていうのが制度です。確かにそれは大事なんだけども、どこに立ってその施策を見るかはもっと大事だと思います。国の施策実施において、人間とは何かっていう議論はまだまだ足りないと思います。私は牧師です。牧師にとって人間とは何かっていうことは非常に大事だと考えています。例えば、感染を防ぐためには「ステイホーム」がとても大事です。今は感染者が一時期に比べ減り始めているっていうのは、皆頑張った証拠ですね。一方で、そもそも「ステイホーム」って何なのかを、考えないといけない。実は「ステイホーム」自体は、「アウトホーム」と言いましょうか、家の外で働いてくれた人たちに支えられている。これが現実です。日本中の人が、あるいは世界中の人がステイホームしたら全滅するしかない。私が「ステイホーム」をしている間、医療関係者は病院にいました。福祉の現場では多くの人が働いていました。スーパーの皆さんは毎日店を開けていたわけですよ。「ステイホーム」で大量に出てくるゴミを誰が集めていたのか。蛇口をひねれば水が出る。誰が管理してくれていたのか。こういう部分を担ってくださった方々を「エッセンシャルワーカー」と呼びますが、エッセンシャル、つまり、「欠くことができない」働きです。「アウトホーム」で働く人々が「ステイホーム」を支えていた。この事実を、私たちはどこまで認識していたのか。それは、そもそも人間とは何かっていうことを認識することでもあったと思います。

聖書の中にはいろんな人間観が出てきます。例えば、一番有名なのは罪人です。人は罪人ですから、赦《ゆる》され、愛されなければ、生きていけない存在だという人間観です。しかし最もベーシックな人間観は、旧約聖書の「創世記」に登場する「天地創造」にある人間の創造です。「創世記」には創造物語が二つ出てきます。第一章の物語と第二章の物語。その第二章の方の物語においてこのように書かれています。「また主なる神は言われた、『人がひとりでいるのは良くない。彼のために、ふさわしい助け手を造ろう』」（「創世記」第二章第十八節）。端的に、「人がひとりでいるのは良くない」と神様が言い、二人目を造る。それはどういう存在であったか。「助け手」と表現されています。つまり、人は「助けて」もらわないと生きていけない存在として創造されたのです。それが人間の本質です。人間は、一人では生きていけない、つまり「不可能」であると同時に、もしくは生きてはいけない、つまり「禁止」とも読めます。「良くない」とは、そういう不可能であり、同時にだめだということを意味しているように思います。人は、お互いが「助ける者」として存在している。お互いを必要としている。非常に決定的な人間観だと思います。「助けて」と言える。それが人間であるということになります。

さらにですね、「創世記」の第一章の物語も、第二章の人間観につながるものがあります。第一章は、天地創造を神様が七日間で行ったっていう創造物語になっています。神が「光あれ」とおっしゃって「光」が生まれた。一日目、光が現れて、二日目、三日目、四日目と進んでいくんですね。そして、ついに人間が登場するわけです。神は自分の形に人を創造された。そして神は、彼らを祝福して「生めよ、ふえよ、地に満ちよ、地を従わせよ。また、海の魚と、空の鳥と、地に動くすべての生き物とを治めよ」とおっしゃった。その後の七日目は安息日として神は休まれた。人間の創造は、最終日、第六日。しかも最終日の一番最後に生まれたのが人間です。私は長い間、なぜ人間が最後に創造されたのかが疑問でありました。神は、最後に登場した人間に対して「生めよ、ふえよ、地に満ちよ、地を従わせよ」「すべての生き物とを治めよ」と命ずるわけですね。最後に登場した人が一番偉く、まるで支配者のごとく、全世界を支配して良いとのお墨付きを神様からいただいたように読めるわけです。多くの人はそんなふうに読んできたんじゃないか。特にキリスト教文明においては、地上の支配者のごとく他の被造物より上に立って世界を見てきたんじゃないか。

だけど、私は、今回のコロナ禍の事態の中でもう一度この箇所を読み直してみました。そして、そうではないんじゃないか、と思うようになりました。これは、「創世記」第二章において「一人では良くない」「助ける人が必要」な存在として創造された人間という観点からも言えることですが、やはり人間とは何かということから読み直してみたわけです。それで最終日に、しかも最後に人間が創造される理由は、別に人間が偉かったわけでもなく、支配者となるためでもない。それは、一番最後にしか登場できなかった、ということだと思います。どういうことかと言うと、人間が生きるためには、「助ける人」のみならず、光も大地も海も山も、それから野の草も、実を結ぶ木も、そして魚も獣も、すべてのものがそろっていないといけないからです。つまり人間というのは、すべての被造物、先に造られたすべてのものの助けを借りないと生きていけない脆弱な存在であり、だから、最後にしか登場できない存在なのだということです。最初に人間が創造されたとしたら、その日から途端に食べるものに困るわけです。その日から着るものに困っちゃうわけですよ。人間っていうのは何も持っていない、だから多くの存在から支えられなければならない。それが最終日の創造の意味だと思います。

それは、「ステイホーム」が「アウトホーム」に支えられ成立したのと同じです。「従わせよ」とか「治めよ」っていう言葉も、日本語の字句通りとらない方がいい。神様の思いからすると、「大切にしなさい」とかね、もっと意訳すると「ちゃんと感謝しなさい」ということではないか。それが「従わせる」「治める」の真意なんじゃないか。にもかかわらず人類は、我が物顔で山を切り崩し、海を埋め、放射能で大地を汚した。「そんなことをしているとあなたたちは、生きていけないよ」って神様が教えようとしているのだと思います。「治めよ」は、「大事に守りなさい」という神の命令です。コロナの状況は、まさに私たちに人間とは何かを問うたのだと思います。

本来人間の中にあるべき他者性

――でも、少しコロナ前の自分たちの生活のことを振り

返ってみますと、自己責任っていう言葉がすごく大きかった気がしますし、あるいは、このコロナ騒ぎになった時に、トイレットペーパーがなくなるというような騒ぎがあって、やっぱりその時には、自分たちの生活のことを、身近な人のためにってふうに走ったような気がします。「本来人間とは」というものとは少し離れたところで生きてきてしまったのかなというふうに思うんですけれど。

奥田　いや、そうだと思います。特にトイレットペーパーがなくなった一件ですね、気持ちはわかりますよ。「紙がなくなる」というのはデマだったし、不安な中でね、そういう人心が乱されてしまうっていうのは、起こり得る事態でした。ただ、私は正直、トイレットペーパーがなくなった時に感じたのは、実はあれは、トイレットペーパーがなくなったんじゃなくて、私たちの中にある他者性が失われている、ということです。私たちの中に本来いるはずの他者が不在となった。結果、「自分さえ良ければいい」っていうことに、みんながなっていった。

そういう「自分だけ」という考え方は、コロナの前の時代からあったことで、本来私たちの中にいるべき他者がいなくなっていたということです。すべては自己責任、マスクが手に入らない人もトイレットペーパーを買えない人も、それは自己責任であって、頑張らなかった結果だと考えていた。トイレットペーパーを手に入れた人は「私は朝から並んだんだ」って胸を張る。でも、朝から並べない人もいます。仕事があるとか、そもそも何時間も立っていられないお年寄りもいるわけです。自分のトイレットペーパーを確保して、自分はこれで安心だって思ってしまう。これは、コロナで始まった話じゃなくて、その前からあった自己責任論社会の実相であり、人に迷惑をかけてはいけないという空気が生まれ、助けてと言えない社会となったということ。私たちはここ三十年間ほどをそういう社会で生きてきた。それは、今や常態化したと言えます。

私が好きな作家で灰谷健次郎《はいたにけんじろう》さんて方がおられますけれども、灰谷健次郎の作品の中にですね、『太陽の子』っていう作品があります。この作品の中で、このようなことが書かれています。「いい人ほど勝手な人間になれないから、つらくて苦しいのや、人間が動物とちがうところは、他人の痛みを、自分の痛みのように感じてしまうところなんや。ひょっとすれば、いい人というのは、自分のほかに、どれだけ、自分以外の人間が住んでいるかということで決まるのやないやろか」。私はこの言葉を読んで、まさに、聖書が言いたかったのもこういうことなんだと思いました。

あのトイレットペーパーの騒ぎの中で、私たちは、自分はこれで安心だと、胸をなでおろした。でも、隣で「もうトイレットペーパーがない。トイレにも行けない」と思いながら悩んでいた人の痛みは感じなかった。私たちは、自分の中に他者を取り戻さねばならないと思います。ポストコロナとはそういうことではないかと。もうそれをしなければ、聖書は、「それは人間ではない」と言うでしょう。灰谷健次郎さんも、励ましてくれていると思うんです。人間であれと。つらくて苦しい、しんどい、だけど、それが人間なんだと。

いのちを思う

――私たちはですね、もうすでにこのコロナ禍の時代を経験してしまったわけですけれども、そういう時代を経験した者として、この後、どう生きていくのかということをみんなが考えているところだと思うんですけれども。

奥田　そうですね。「ステイホーム」は、感染防止においては重要です。しかし、それだけでいいのか。「ステイホーム」をしている私たちは、「フロムホーム」を同時に考えたいと思います。ただただ閉じこもる、他人と会わない、接触しない、だから何もできないというのではなく、家からでもできることを考えるということです。特別給付金にしても、この十万円がないと暮らせない人は当然それを使う。でもこのコロナの中でも特別減収していない人もいる。私の場合も、忙しくはなっているけれども、今のところ収入が減ったことはない。だったら、あの給付金は、自分だけで考えないで「他者」との関係の中で考える。家からできることと「フロムホーム」を考えよう、ということが一つですね。

二つ目として「いのち」という普遍的な価値に立ち返るということです。コロナは感染症であって、誰もがうつる可能性がある。当然うつす可能性もある。さらに誰が重症化するかもわからない。これに全世界が震撼《しんかん》したのだと思います。端的に言うと、いのちがなくなるかも知れないっていう心配を世界中の人が共通して抱いたということです。そして、当たり前のことに立ち返った。「いのちは大事」ということです。「いのちは一つしかない」という事実に世界中が思いをはせた。戦争なんかしている場合ではないということです。対立ではなく、世界が協調してこの危機を乗り越える、つまり、いのちを守るということに集中するしかないのです。どんないのちであろうが、いのちは普遍的で絶対的な価値そのものなのです。

コロナが世界に広がった頃、三月十六日に、相模原事件の判決が出ました。犯人の植松《うえまつ》君は、重い障害のある人たちは、「生きる意味のないいのち」だとして、殺しました。彼は、いのちに「意味のあるいのち」と「意味のないいのち」があると主張した。そして、「意味のないいのち」に税金を投入して生かしておくのは、多くの人にとっての迷惑だと考えました。私は、二〇一八年七月に本人と面会しました。「あなたが言いたいのは『役に立たない人は死ね』ということですか」と尋ねると彼は「その通りです」と答えました。さらに、「では、あなたは事件の直前、役に立つ人間でしたか」と尋ねると彼は「私は、あまり役に立たない人間でした」と答えたのです。これは、彼自身が、「自分は意味のあるいのちか、それとも意味のないいのちか」に確信が持てていなかった、つまり「生きて良いいのちなのか、生きてはいけないいのちなのか」という分断線は彼によって引かれたのではなく、彼自身がその分断線上に生きていたという事実を示した一言だと私は思いました。コロナの前の社会には、すでに分断線が引かれていたのだと。彼は、事件当時二十六歳でした。事件を起こす前は無職で、生活保護を受給していた。自己責任論社会は、困窮者、特に生活保護受給者をバッシングする社会です。その価値観からすると、彼自身、極めて生きる意味のない側に近い存在だったのだと思います。「人に迷惑をかけている」「役に立たない人間」と烙印《らくいん》を押されないために、彼は、役に立つ人間となるために障害者を殺したのではないか。それこそがこの世の中の役に立つことになると彼は考えたのではないか。もし、そうであるならば、彼のゆがんだ犯行動機の裏には、この時代に蔓延《まんえん》するゆがんだ価値観があるように思います。彼もまた「時代の子」であり、私も同じ時代を生きている「時代の子」なのだと思います。

そして、コロナが本格的にやってきました。結果、多くの人が「いのちが失われるかもしれない」という不安の前でビビったのです。このいのちに対するビビリ感って言うか、まずい感って言うか、これをね、ポストコロナの時代は、大切にしたいと思います。「喉元過ぎれば」とならないように、「いのちという普遍的価値」を基盤とした社会を再創造しなければと思います。今回、「いのち」という価値にみんながもう一回戻ったっていうことは、病気で苦しんでいる人もおられるので、軽率には語れませんが、良かったのかも知れません。

――どのいのちも大切であるっていうことはずっと言われてきたことですけど、それは半ばちょっときれいごとのような、と言うか、理想論のように語られてきたと思うんですね。

奥田　そうですね。理想論であろうが、当然のことであろうが、実はいのちを大事にするということは、大変なことだと思います。

相模原事件の直後、私の教会に来られている老婦人が教会に訪ねてこられました。「あの犯人は、『障害者は不幸しか作らない、家族を不幸にしている』と言っていますが、私は、娘に不幸にされたとは思っていません。あの人の言っていることは嘘《うそ》です」と彼女は言うのです。彼女の娘さんは、若い頃交通事故に遭って、以来脳に大きな障害が残ってしまったのです。事故以来、三十年以上娘を介護しつつ、過ごしてこられ、すでに八十代半ばとなっておられました。二人して「そうだ、あの犯人はわかっていない」と言って泣きました。しかし、その後彼女は、もう一言語ったのです。「私は不幸ではなかったわ。でもね、娘と一緒に生きていくというのは、大変だった。この大変さは誰かにわかってほしいの」と再び涙を流されました。植松君は、この「不幸」と「大変」の違いがわからなかったのだと思います。彼は、「大変」なことは、「不幸」だと思い込んでいた。でも違います。

私は、三十年現場でやってきて、まあ、大変なことが多かった。でも、大変だけどおもしろい、大変だけど幸せだと思うことがいっぱいありました。生きているっていうことで喜べる場面っていうのは、実は大変な場面が多い。大変だけど、人間って素敵だって思える。植松君は、それがわからなかった。それは残念でなりません。

社会全体が、「大変」を避けるために、「それはあなたの自己責任だ」って言ってなるべく関わらないということを選択してきたわけです。自己責任論は、結局、「助けない」理由として使われてきた。それは「大変」を避けるためにです。コロナ後の社会は、「一人では生きていけない」ということを前提とした社会となります。医療従事者やエッセンシャルワーカーが大変な思いをしてくれています。それを「不幸」と呼ばない、事実「不幸なこと」にしない社会がポストコロナ社会です。だから、これからは、もっと、もっと「大変」な社会になります。でも、もっと「生きている実感がある社会」となり、「いのち」や「人間であることを当たり前に考えることができる社会」となります。それは、大変だけど「おもしろい」社会です。

闇の中で見る光

――正直に言いますと、今その先が見えないっていう状況の中で、どんよりとした気持ちになりがちで、果たしてこの先希望はあるのかっていうふうに疑いたくなるような思いも抱くんですけれども。

奥田　どんよりして、先が見えない中、しんどい思いをされている方も多いと思います。だからこそ私はね、言いたいと思います。神様が人に与えた大きなプレゼント、それは、「信じる」という力です。見えない事実を信じる。これは新約聖書の「ヘブル人への手紙」っていうところに出てくる言葉ですが、口語訳聖書では「まだ見ていない事実」と訳されていますが、新共同訳聖書では「見えない事実」と訳されている。「まだ見ていない事実」っていうのは、時間的に先の話っていうことになります。しかし、「見えない事実」となると、今現にあるんだけれども見えていないだけ、ってことになります。今は、見えない事実を信じる力が特に大事だと思います。まさに「信じること」。別にキリスト教でもユダヤ教でもイスラム教でも何でもいいんです。「信じること」です。

では、何を信じるのか。それは「この闇の中にすでに希望の光がある」ということです。「ヨハネによる福音書」第一章にこのような言葉が出てきます。ヨハネ福音書は非常に文学的な表現を使ってイエス・キリストの到来を描きます。このような言葉です。「光はやみの中に輝いている。そして、やみはこれに勝たなかった」（「ヨハネによる福音書」第一章第五節）。私たちの希望に関する従前のイメージは、「闇が終わり光が来る」というものではないでしょうか。「明けない夜はない」や、「いつかトンネルを抜ける」ということが、人間の非常に単純な希望の情景だと思います。しかし、聖書は、そうではないと言っています。闇は依然として存在している。しかし、その闇の中にすでに光が輝いている。光を探そうと思ったら闇をちゃんと見つめなさい。聖書はそう言うのです。今、私たちはコロナ禍という闇の中に置かれています。しかし、その闇の中にすでに光も見えている。何よりも大切な「いのち」や解決しなければならない過去からの問題、「大変だけどうれしい」という人と人とのつながり。そして、今後のあるべき社会の姿もやっぱり見えているんじゃないか。

作家の五木寛之《いつきひろゆき》さんが「アサガオは夜明けに咲きます」という一文のあるエッセイを書かれています。その中で五木さんは、次のように言っておられます。「アサガオの蕾《つぼみ》は朝の光によって開くのでないらしいのです。逆に、それに先立つ夜の時間の冷たさと、闇の深さが不可欠である、（中略）ぼくにはただ文学的なイメージとして、夜の冷たさと闇の深さがアサガオの花を咲かせるために不可欠なのだという、その言葉がとても鮮烈にのこってしまったのでした」。これは事実で、アサガオっていう花は、闇の深く、冷たい夜明け前に花が咲くのです。てっきり私は、朝太陽が昇ったら、それに目覚めたアサガオが咲くんだと思っていました。現実は、闇の中でアサガオの花が咲いた後に、陽が昇るのです。今、始まろうとしていること、今、こう芽吹こうとしているもの、今、何かこう胎動が始まろうとしている、そういうものを、今、この闇の中で探すべきなんだろうと思います。いや、すでに花は咲いているかも知れません。そのことを信じることから始めたい、そんなふうに思っています。

――今日はどうもありがとうございました。

奥田　いえいえ、どうもありがとうございました。

第2章

罪ある人間

©タカオカ邦彦

おばあちゃんのラーメン

(2019/11/07 note)

僕の母方の祖父は神主だった。僕は、神主の孫で牧師をしていることになる。神主の装束で白馬にまたがる祖父の写真が残っている。夏の日だと思うが、真っ白のスーツに白い帽子をかぶったおしゃれな祖父の写真もある。厳格で少々近寄り難い雰囲気だった祖父に比べて、祖母はなんとも優しい笑顔が素敵なおばあちゃんだった。僕は、このおばあちゃんが大好きだった。

僕の子どもの頃の好物はラーメンだった。無論田舎だったから家の周囲にラーメン屋などはなく、いわゆる「即席めん」が好きだった。一九七一年に「カップヌードル」が売り出されたが、僕が口にできたのは中学生になってから。幼稚園児から小学生にかけて僕は袋に入った「即席めん」を好んで食べていた。

ラーメンと言えば、切ない思い出がある。幼稚園の年長の頃、その日は祖母が僕の家に来ていた。僕はと言うと、数日前から風邪をひいて寝込んでいた。お昼になり、おばあちゃんが「ともし、ラーメン作ったで。食べなさい」と、どんぶりを差し出した。僕は喜んだ。早速食べる。でも、なんだかスープの感じがいつもと違うことに気づいた。味も違う。「何だろうこの味は」。もう一口食べてようやくわかった。「これはラーメンじゃない！」。さらに一口。間違いない。「これは焼きそばだ！」。おばあちゃんは、焼きそばをラーメンだと思ってラーメンのように作っていたのだ。

即席ラーメンなど作ったことがなかった祖母が、孫の好物ということで見よう見まねで作ってくれたのだが、それは間違いなく焼きそばだった。幼稚園児だった僕は「焼きそばラーメン」を前に固まってしまった。食べることができず、「これは間違い」とも言えず、静かな時が過ぎていった。

一向に食べようとしない孫に気づいたおばあちゃんは、「どうした、ともし食べなさい」と微笑《ほほえ》む。せっかく作ってもらったのだ、食べなきゃ。でも食べられない。それでも「違うよ、おばあちゃん、これは焼きそばだよ」とは言えなかった。大好きなおばあちゃんを悲しませるわけにはいかないと思ったのだと思う。ついに泣き出した僕。何が起こったのかわからないおばあちゃんは、今度は謝り始めた。「ともしごめん。ばあちゃんラーメン作ったことないから、おいしくなかったねえ。ごめん、ごめん、作りかえようね」とおばあちゃんは言うのだ。

「違うよ。おばあちゃんが悪いんじゃないんだよ。僕はうれしいんだ。でも、それはラーメンではなく焼きそばなんだ。だから、だから、あああ、どうしよう、おばあちゃん、ごめんね」と僕は、心の中で叫んでいた。そして、涙がこぼれた。おばあちゃんは困り果てて謝り続けた。

今から思えば笑い話だ。だが、今も「即席めん」、それも「焼きそば」を見るとあの切なかった日を思い出す。人間って切ないなあ。お互い悪気はない。いや、愛し合っている。なのにうまくいかない。孫に大好きなラーメンを作ってやりたいというおばあちゃんの思いと、大好きなおばあちゃんの作ってくれたラーメンを食べたいという孫の思い。それでも人はうまくいかない。これを罪ある存在と言うのだろうか。愛しているのにうまくいかない。それが人間なのだ。切ないが愛《いと》おしい。そんな罪ある人間の現実を誰もが抱えて生きている。僕は、そんな人の現実が好きだ。人の切なさを愛おしく思える、そんな人間でありたい。大好きだったおばあちゃんも今は天国。いつか、なぜあの日、僕が泣いていたのかを説明したいと思う。

「罪人の運動」

（書き下ろし）

一九八八年十二月の活動開始以降の十年以上、私たちは北九州市と闘ってきた。年々路上で人が亡くなっていく現実を前に何もしない行政は、私の目には「殺人行政」と映った。特に「最後のセーフティーネット」と言われている（実は、「最後」ではそもそも遅いのであるが）生活保護の申請すら受け付けないその姿勢は、後に「水際《みずぎわ》作戦――闇の北九州方式」と全国から批判を受けたが、大問題であった。「申請権の侵害」、つまり、生活保護を受け付けない理由は、「住居がない」ことだった。ホームレス状態の人々が何よりも困っていること、それがないと「生存権」に関わる事態、それが「住居喪失」である。この最悪の事態について相談に行くと「その最悪の事態＝住居がない」ことを理由に「最後のセーフティーネット」の受け付けを拒否される。「自分で住居を確保すれば受け付ける」と「住居を失ったことを相談に来た人」に告げる。理解し難い、まるで「禅問答」のようなやり取りが、かれこれ十年以上、生活保護の窓口や市役所本庁保護課においてなされた。私たちは、疲れ切っていた。

十年が過ぎた頃、ついに私たちは決断した。「自分たちで自立のために支援住宅を創ろう」と。二〇〇一年五月の開所に向けた準備が始まった。ＮＰＯによる自立支援住宅開設のニュースが流れ、ホームレス当事者からの相談も増え出した。どの方も切羽詰まっており、どんどん増える相談に、私たちは自立支援住宅の必要性が高いことを実感した。しかし、確保できたアパートはたった五室だった。当時市内のホームレス数は、三百名を超えていた。焼け石に水の状態は明らかだった。炊き出しの場で「自立支援住宅開所」の説明を行う。多くの人が聞き入っている。申し込みは七十名を超え、私たちはこの新しい取り組みに手応えを感じていた。

入居者の選定会議が始まった。夜七時頃から始まった会議では、「どのような基準で入居を決定するのか」について話し合った。ともかく優先する基準を「高齢者、医療的なケアが必要な人、障害のある人」とした。さらに、申し込み時に聞き取った内容を一人ひとり確認して議論する。七十人を超える申し込み者を一人ひとり議論していく。果てしなく時間が過ぎていく。

しかし、いくら「入居基準」を考えてみても最終的な決め手にはならない。誰が一番困っているのか、誰を優先すべきか。私たちにはわからなかった。「高齢者」と言っても一様ではない。元気な方もおられる。逆にホームレス経験のない若者の場合、絶望感も深く、自死の可能性もある。

会議は、深夜に及んだが、終わる気配はない。激論しているわけでもない。皆が、自分たちの決断の重さにおののいていたのだ。「この人を落とすと決めた翌日にこの人が亡くなったらどうしよう」そんな想像が心を支配していた。「もう限界」となった時、ホワイトボードにこう書いた。「罪人の運動」。


自立支援住宅開所を決めた時、私たちは「良いことをしている」「正しいことをしている」と胸を張った。行政もできなかったことをやり遂げた。長年、行政とやり合ってきたこともあり、私たちは高揚していた。しかし、そうだろうか。自立支援住宅入居者選定会議は、七十数人から五人だけを選別する会議であると共に、残りの人を落とすという会議でもある。単に「選ばない」というのでもない。まさに「落とす」のだ。一旦入居できるかも知れないと期待をさせておいて落とすのだ。それなら最初から期待させない方が良かったかも知れない。良かれと思ってやったことが、逆に人間を追い詰めることもある。なぜならば、私たちは所詮神様ではなく、罪人だからだ。この「罪人」というのは、キリスト教的な人間観であるが、それは「何か犯罪をした人」という意味ではなく、「不完全さ」「弱さ」を持つ存在だという意味である。

午前二時過ぎ、会議は終了した。私たちは、「罪人の運動」であることを覚悟した。

翌週の炊き出しで、自立支援住宅開設についての報告と、選考結果を伝えた。「七十人以上が申し込んでくれました。選考の結果五人の方を選びました。その五人には個別スタッフが結果を伝えています。だから、今何も聞いていない人は、すべて落ちたことになります。全員が入りたい気持ちであるのはわかりますが、今回は、ともかく高齢者や病気のある人を優先しました。それが正しいか、わかりません。どうか、理解してほしい」と。この選別の作業が「恣意的で差別的だ」と批判されても、それを否定できないという思いが私たちを支配していた。「これをやって良かったのか」、答えのない問いの中を私たちはさまよっていた。

炊き出しに集まった数百人の方々は、静かに聞いておられた。しばらくして、列の中から声が上がった。「奥田さん、頑張れよ」。その後、炊き出し会場は拍手に包まれた。私たちは「赦《ゆる》された」思いがした。

私たちの活動は「罪人の運動」にすぎない。神様ではないので、欠けがある。思いがけない結果を招く。しかし、それを引き受けるしかないのだ。「そんなつもりではなかった」と弁解しても、それで責任を免れるわけではない。しかし、それでも私たちはやるしかない。「だったらやらない」という選択はない。たった五室。六十五人を落としても私たちはやる。あの炊き出し会場の声と拍手に赦されながら「罪人の運動」を続けていく。

©タカオカ邦彦

赦されながらやってきた――活動の背景

（書き下ろし）

しばしば取材が入る。NPOの代表としてインタビューを受けることが多いが、時折こんな質問が投げかけられる。「奥田さんがホームレス支援をされているキリスト教的背景は何ですか」。私が牧師であるので、そこにこの活動の動機を見たいと思っておられるようだ。キリスト教が説く「愛」や「奉仕」、それこそがこの活動の背景にはあると、そんな答えを期待されているのだろう。つまり、マザー・テレサのようなイメージか。

「ご存じの通り、キリスト教は、愛の宗教です。イエス・キリストは、汝《なんじ》の隣り人を愛せ、と教えられています。しかもその愛は、ギリシャ語で『アガペー』と呼ばれ『無償の愛』とか『自己犠牲の愛』と訳される。マザー・テレサも自分を顧みず、ただ貧しい人に仕え、与え続けた。それが、クリスチャンです。それゆえに私はホームレス支援を続けるのです」などと答えることができたなら、愛の宗教であるキリスト教の面目躍如というところだが……。

期待を裏切って申し訳ないが、私は、そもそもそういう人間ではない。キリスト者であり、牧師でもあるので考え方や発想の根底に聖書やイエスの教えがないとは言えない。「友のためにいのちを捨てる。これほど大いなる愛はない」とイエスは言うが、いやあ、わかっちゃいるが、そういうわけにはいかない。それが私の現実だ。

私の「キリスト教的背景」は、そういうことでは全くない。夜の公園、商店街で横たわる人を訪ねて回る。「大丈夫ですか」「頑張って」「寒いでしょう」と声をかける。決して適当に言っているわけではない。本気で心配している、つもりだ。しかし、そんな僕が、その数時間後、自宅に戻り、あたたかい部屋で過ごし、ベッドにもぐり込む。毎度、布団の中で考える。「僕は何をやっているんだろう」。さっきまで、いかにも心配げに、いかにも親身そうに声をかけていた。その男は今は布団に眠る。そこには「アガペー（自己犠牲の愛）」などひと欠片《かけら》もない。私は、パトロールのたびに自分がいかにアガペーからほど遠い存在であるかを思い知らされる。

だから、こう祈るしかない。「神様、ごめんなさい。僕はもう限界。どうか赦《ゆる》してください。あとは神様よろしくお願いします。あの人を守ってください」。しがみつくようにして祈るしかない。これが僕にとっての「キリスト教的背景」である。

「父よ、彼らをおゆるしください。彼らは何をしているのか、わからずにいるのです」とイエスは、自分を十字架につけた人たちのことを祈ったという（「ルカによる福音書」第二十三章第三十四節）。

あの祈りは僕のための祈りだと思う。「自分が何をしているのかわからない」。そう、全くそうなのだ。人間は罪人にすぎない。その愛は、不完全で弱い。そんな罪人を引き受けるのが「神の愛」なのだ。赦されながら路上に向かうしかないのだ。かのマザー・テレサもアガペー（神の愛）を実践したのではなく、実はアガペーによってやりきれない自分を赦されつつ他者へと向かったのだと思う。

「僕の必要としているキリスト教的背景は、そういうことです」と、取材の方にはお答えしておいた。

Ｈ君の帰郷

(2019/11/13 note)

Ｈ君と出会ったのは今から一か月以上前のこと。

かつて自身も路上で苦労され、今は下関で自立生活を営むＳさんから電話があり、Ｈ君の存在を知った。「心配な青年がいるから会ってやってほしい」とのことだった。後日、Ｓさんに付き添われ炊き出し会場に現れたのがＨ君だった。実に丁寧な物言いの青年で、年齢三十六歳。

訊《き》くと実家には両親がいるという。ならばと家に戻ることを勧めたが「帰れない」と彼は言った。理由は「親にこれ以上迷惑をかけられない」。リーマンショック以後、路上で出会う青年の多くがこの理由で帰郷を拒んだ。彼らなりの優しさが事態を深刻化させていた。「家族から迷惑を引いたら何が残るのか」と思う。しかし、一方で、家族は家族で大変なことも多く見てきた。自己責任論が常態化した今日において、「自己責任が取れないなら、身内の責任で」という圧力がかかる。そして、社会はそれを「助けなくて良い理由」とした。だから、赤の他人の存在が必要なのだ。抱樸《ほうぼく》が長年取り組んできた「家族機能の社会化」とは、まさにこの現実と向き合った結果だ。

親に連絡されることを恐れ、生活保護は申請しないH君。これまでこの家族にいろいろあったことを思わされる。テレホンカードを渡し、電話連絡をとると約束してもらった。そして、時々会うようにもなった。

H君は、大学中退後、十年間特殊法人に勤務しており、就職活動には積極的だった。次に小倉駅で会った時、彼はネクタイ姿だった。パチンコ店の面接を受け、内定をもらえたと喜んでいた。しかし数日後「住所と携帯電話がないことが判明し、最終的に内定は取り消しになりました」。報告に現れた彼は、一層しょげていた。人は路上に落ちた時よりも、希望が見えた後、それを奪われた時に一段と絶望する。特に若者の場合は、このような「上がって落ちる」パターンは、自殺の危険さえ伴う。こちら側にも緊張が走る。

それでも彼は、生活保護申請を拒み、NPOが運営する「自立支援住宅」への入居も拒んだ。

路上からの再就職は不可能だったが、それでも「頑張る」とH君は言うのだった。そんな彼は、痛々しく、でも、どこか人の自由と尊厳を感じさせてくれた。

出会ってから一か月が経《た》とうとしていた。慣れない野宿生活が続き、彼はみるみるやつれていった。ある日、「もう限界です」とH君が連絡してきた。

ともかく生活保護を申請すること。家が見つかるまでの間、当面我が家で生活すること。さらに、親には私から連絡すること。この三点を彼と約束し、次の段階へ進むことになった。

早速両親へ連絡を入れた。やはり、「捜していた」と言う。息子がとにかく「生きていた」とわかり、両親が安堵《あんど》している様子が電話から伝わる。しかし、その喜びと同時に、今後再び親子の苦難が始まるという不安が錯綜《さくそう》しているようにも思えた。

当初は、両親から旅費を送るから帰るように言ってくださいとのことだった。しかし、私の経験からするとそれはうまくいかないことが多い。「それではH君は、帰れないかも知れないですよ」と忠告する。すると親父《おやじ》さんは「私が迎えに行きます」とおっしゃった。

翌日、私と彼との待ち合わせ場所に突如親父さんが登場した。彼には親父さんが来ることは教えていなかった。事前に言うと彼が来ないということも想像できたからだ。

　沈黙の後、親父さんが「帰ろう」と呼びかけた。H君は静かに「うん」とうなずいた。その後、三人で食事をしながらこれまでのいきさつを聞いた。

　やはり、いろいろあったようだ。両親は両親なりに、彼のため何度も苦労していた。息子は、両親の期待に応えることのできない自分を蔑《さげす》み、親の愛がプレッシャーに感じられたのだろう。僕からは素敵な親子に見えたが、それは他人の無責任な想像にすぎないのかも知れない。

　そして、二人は、懐かしい場所――ホームへと帰っていった。


　身内は難しい。確かに愛している。愛し合っているのだ。だからこそ「赦《ゆる》せない」。これは単純に「嫌い」という以上に苦しい。

　親父さんに「あなたの中にある『息子のことが赦せない』という思いは、『息子のことを愛している』という思いから出ているんです。それは、愛してるという証拠です」と、少々偉そうに解説する。そして、「君が感じるプレッシャーも、それは両親が君を愛している証拠なんだ」と解説する。解説者がいないと愛は憎しみを装う。これをすべて身内でやれと言うことは、とてもしんどいことになる。

イエスが十字架にかけられた時、いよいよ最期の瞬間、彼は自分の母親を愛弟子にゆだねた。

イエスは、その母と愛弟子とがそばに立っているのをごらんになって、母に言われた、『婦人よごらんなさい。これはあなたの子です』。それからこの弟子に言われた、『ごらんなさい。これはあなたの母です』。そのとき以来、この弟子はイエスの母を自分の家に引きとった。

（「ヨハネによる福音書」第十九章第二十六節・第二十七節）

「これはあなたの子です」「これはあなたの母です」。このイエスの一言が私たちには必要なのだ。時には、それを私たちは、身内ではなく外から聴かねばならない。

H君といつか再会できる日を楽しみにしている。また会おう。君に会えて良かった。

ダメだけど、そんなこともある——クリスマスの街角で

(2019/12/22 note)


大阪の釜ヶ崎は、僕にとっては「原点」のような町。

十八歳、大学入学と同時に初めての一人暮らしが始まった。

親元を離れて「自由になった」という解放感もあったが、それ以上に「孤独」が僕を試みた。

そんな時に出会ったのが釜ヶ崎だった。私は、この町で人の限界と温《ぬく》もりを知った。

日本最大の寄せ場、日雇労働者の町。

八十年代の釜ヶ崎は、活気にあふれていた。しかし、その傍ら、居場所のない人々が路上に寝ておられた。


時折「社会勉強」と称して日雇仕事にも行った。

しかし、所詮「もぐりの日雇労働者」にすぎない学生アルバイト。現場では全然役に立たなかった。現場では、「学生！　邪魔だ、あっちに行ってろ！」と親父《おやじ》さんに怒鳴られた。

それでも「学生、お前全然ダメだけど、また来いよ」と声がかかる。そんな一言で救われた。

先日、釜ヶ崎で会議があり、資料をコピーするためにコンビニに入った。

僕のすぐ後に少々お酒の臭いがする親父さんがフラフラと店内に入ってきた。なんと、レジ前あたりで「オエッ」と口の中のものを吐いたのだ。店は大混乱。

「何すんねん！　アカンがな、そんなことしたら!!」。店員一同レジから飛び出し、親父さんを囲み始めた。どうなるんだろうか。

割って入ろうかと思案していると、一人の店員は実に手際良く（慣れている？）床を掃除し始めた。店長らしい人は、その親父さんの腕を抱えながら買い物を手伝っている。

そして、会計を済ませた親父さんを店長は、「おっちゃんアカンでほんまに、おおきに」と見送っていた。「アハハ」と笑い片手を上げて、店を後にする親父さん。

なんだか、胸が熱くなった。懐かしい感じがした。

「ダメ」なことを「いい」とは言えない。「アカン」ことは「アカン」。

でも、ダメだけど「そんなこともある」のが人間。

釜ヶ崎には、そんな人間の弱さ（現実）がどこか共有されているような「空気」が残っている。

それは「諦め」に近い感覚かも知れない。

自分を含め人間に対する「諦め」、つまり、「そんなこともある」が共有されることが少なくなった。常にピリピリしており、「ゆるさない」という空気が支配している。でも、「そんなこともある」という、その一言を少しでもお互いが言い合い、聞き合えばこの社会はどれだけ素敵になるか。

クリスマスは、救い主がこの世に来られた日。それは、僕らが「いい子」だったからでは決してない。

「ダメでアカン存在」であることを承知で救い主は来る。

「そんなこともある、が、もうするな」と言うために救い主は来る。

それは「諦め」ではあるが、そういう受容がなければ、人は新しい一歩を踏み出せない。

「ダメだけど、そんなこともある。だから生きろ。もうするな」。今年もクリスマスを迎える。

オンライン対談より

文化人類学者が見るポストコロナ社会

（2020/06/20 YouTube）

コロナで人間の苦難というものが普遍化？

奥田　今日のゲストは文化人類学者の上田紀行《うえだのりゆき》さんです。東日本大震災の直後、ある雑誌の対談でご一緒させていただき、それ以来お付き合いをさせていただいています。上田さんは、文化人類学者であると同時に今日の社会に対して多くの発信をされている方でもあります。これから楽しくお話ししたいと思います。

じゃあ、入っていただきましょう。上田さん、よろしくお願いします。……どうも、あ、ミュートがかかってますね。ごめんなさい。

上田　失礼しました。よろしくお願いします。こんばんは。

奥田　ご無沙汰してます。

上田　ご無沙汰でございます。

奥田　お元気ですか。東京は、今どんな感じですか。

上田　いや、またちょっと増えてきてるっていうことですけれどもね。もうほんと、てんてこ舞いでしたね、大学、入学式もやらずに、一か月授業開始を遅らせて、あとは全部遠隔講義でやるという。僕たち、こういうズームっていうの使ってますけども、それでやるっていうんで。一応僕も学部長みたいなことやってるもんですから、一万人の学生さんにこれで届けていかなきゃいけないということで。なかなか、まいりましたね。

奥田　なんかこう「ニューノーマル」であるとか「新しい生活様式」とかって言っていますが、私はなかなか新しくなれない人間で。もうずっと三十年同じようなことばかりやっている感じです。でも、新しいことやらざるを得ない時代になって、どうしたもんですかね。例えば今のお互いの挨拶にしても、「東京どうですか」って言うと、半年前ま

Memo

対談の相手
上田紀行〈うえだ のりゆき〉さん

一九五八年東京都生まれ。東京大学大学院博士課程単位取得退学。文化人類学者、医学博士。東京工業大学教授（リベラルアーツ研究教育院長）。愛媛大学助教授、国際日本文化センター助教授（兼任）、東京大学助教授（兼任）等を経て二〇一六年四月より現職。著書に『生きる意味』（岩波新書、二〇〇五）、『かけがえのない人間』（講談社現代新書、二〇〇八）、『「自殺社会」から「生き心地の良い社会」へ』（共著、講談社文庫、二〇一〇）、『スリランカの悪魔祓《ばら》い』（講談社文庫、二〇一〇）、『今、ここに生きる仏教』（共著、平凡社、二〇一〇）、『人間らしさ――文明、宗教、科学から考える』（角川新書、二〇一五）、『覚醒のネットワーク』（河出文庫、二〇一六）、『平成論――「生きづらさ」の30年を考える』（共著、NHK出版新書、二〇一八）、『愛する意味』（光文社新書、二〇一九）、『立て直す力』（中公新書ラクレ、二〇一九）、『新・大学でなにを学ぶか』（編著、岩波ジュニア選書、二〇二〇）などがある。

では、暑いですとか寒いですって話になっていたと思います。でも、最近は「東京どうですか」は、「今日は三十何人が感染しました」という話になります。すでに、変えられてしまったという面があります。

　上田さんから見てどうですか、このコロナの状況って率直に言って何が一番課題でしょうか。あるいはコロナ現象をどう見られていますか。

上田　いいこと、悪いこと、いろいろあるんだけど、ものすごく気づかされたのはね、学生さんとかも相当気質が変わったなあ、という感じがするんですよ。うちの大学って、頭のいい秀才たちが入ってくる大学で、どっちかって言うと小さい時から割と豊かなご家庭で、たくさん塾とか行って進学校行ってって、勉強を積み重ねてきたっていう大学で、だからどっちかと言うと上から目線で言うか、世の中にそんな苦しみがあることを、そんなに肌で体感していない、頭のいい高校生たちが受験して入ってくる大学なんですわ。で、ところがー。

一年生が必修の科目がありましてね、全員が同じ講演を聞いて、その後で少人数でディスカッションするっていう、大学の授業なんですけど。東京工業大学の立志プロジェクト、志を立てるプロジェクトっていう、全員必修なんですわ。で、一時間目がうちの特任教授の池上彰《いけがみあきら》の話を聞いたりして、いろんな著名人の話を聞いていくんだけど、三番目に水俣《みなまた》病の話を聞くっていうところがあるんですね。それが、もう三年ぐらいやってんですけど、いつもかなり炎上してて。なんかその、苦しみの話を聞いてて、あと、水俣のチッソっていう、ものすごいエリートたちの集まりの工場が、廃液を流して苦しんでる人がいるって言って、もちろん倫理的にすごい責任は感じるんだけど、苦しみに寄り添うってことがよくわかんなくて。学生さんにとっては、「いや、それは、経済発展のための……」「発展にとっては、いろんな弊害がありますよね、発展するためにはいろんなことが起こって当たり前じゃないですか」みたいなことを平気で言えたりする子が意外にいたりするんですよ。

ところが、今年やってみたら、もうほとんど十中八九が「当事者の立場に立つにはどうしたらいいのか」とか「苦しんでいる人に寄り添うためにはどうしたらいいのか」とかね、そんなことをみんなが言い出してて。自分も今苦しんでる、そういうことが基底に来たんだなあって。人生って苦しみに満ちてるわけなんだけど、意外とそのことに気がつかず生きてるようなこと、ずっと過ごしてきて、特に若い人なんかはよくわからないところがあるんだけど、しかし、みんなが、「私たちは苦しみに瀕《ひん》してるんだ」っていうことを、直《じか》に実感したんだなってことをすごく感じましたね。

奥田　なるほど、そうですね。上田さんと最初出会ったのは、東日本大震災の直後でした。雑誌の対談で、素敵な新宿二丁目のバーで飲みながらの取材でした。その後、二軒目行って朝四時半まで飲んで、上田さんは、そのまま大学行かれて、私はそのまま東北の震災支援に駆けつける。夜明けの新宿で別れたのが最初でした。東日本大震災は、ものすごく大きな出来事で、二万人近くの人たちが、亡くなったり行方不明だったりしているわけです。そうは言えども、私は九州在住で、その時の九州のスタンスって何だったかって言うと、「痛みを分かち合う」と言うよりかは「東北を支えよう」だったんですね。「九州の元気を東北に届けましょう」みたいな。どこかで、「助ける人」と「助けられる人」が分断されていたと言えます。

しかし、今回のコロナ禍は、苦難が普遍化し、全員が当事者になりました。誰しもが「うつる危険性」と「うつす危険性」を持った。「いのち」という普遍的なものに皆が気持ちを向けたとも言えます。正直言っていつ誰がうつるかわからない。そういう平等性みたいなものが存在しました。これを平等と言うかどうかですが、でも、その中で正直、「いのちを失うかもしれない」ということに世界中の人が「ビビった」と思うんです。死んじゃうかも知れない、あるいは、「いのち」は大事っていう、普遍的で我々の基調にあった価値に、もう一回戻された。死ぬのは嫌だっていう、実に当たり前の叫びのようなものを皆が感じた。そうなった時に、人と人を結び付ける普遍的なもの、それは何かと言うと、私の場合は聖書だった。では、聖書とは何か、それは人間は罪人であって弱いという現実、あるいは苦難というものと縁が切れないということでした。どんな豊かに見える人でも苦難と無縁に生きることはできないということ。人は、その中で信仰というものを模索する。今回のコロナ禍において苦難が普遍的な意味を持って、すべての人に迫ったということ。それをどうして引き受けるのかということに人の心が動いたと、今の話聞いていて思ったですね。

近年のネオリベラズムの下ではどうだったか

上田　授業で使った、こんなのがあるんだけど（「共苦」と書かれたカードを見せる）。「共《とも》、苦」みんな一緒に苦しんでる存在なんだって。あと、これ（「compassion」と書かれたカードを見せる）。この「passion」の部分が「苦」ですよね、「受難」っていう意味。「com」ってところが「共に」。一緒にすると「compassion」っていう「慈悲」って言葉になったり「思いやり」って言葉になるわけなんだけれども。

人間の普遍性って何なんや、という話があって、僕たちを苦しめていたとも言える、ネオリベラリズム、新自由主義の中では、どうだったかって言うと……。「みんなお金が欲しいでしょ？」って、「みんな稼ぎたいでしょ？」って。「利得っていうものを人生で得たいでしょ、それがみんなの普遍性なんだよ」って。日本で生きてようがアメリカにいようが、その人がどんな人であろうが、男も女も、アメリカにいようがどこにいようが、世界のすべての人は利得を得たいために生きてるんだ、だから利得を得る自由を、完全に規制とかはやめて全部自由にしましょうっていう普遍性だったと思うんですよ。その中で、例えばキリスト教だったら「原罪」って言うし、仏教だったら、「一切皆苦」ってね（「原罪」「一切皆苦」と書かれたカードを見せる）。すべてのものは苦しみである、ということは四苦八苦で全部苦しみだっていう。こういうやつっていうのは、お金儲《もう》けていく普遍性の方が強くて、みんな苦を引き受けてるっていう普遍性――僕は両方普遍性だと思うんだけど――「皆苦」の苦を引き受けていく普遍性ってやつは後ろに退いていたところがあると思うんですね。ところが、それが前景化してくるって言うか、前にドーッって出てくるような感じを、僕はすごく抱いているんですよね。

奥田　「皆苦」が前景化した。なるほど。コロナにおいて、あの頃に帰りたいみたいな気持ちに皆がなっている。でも、戻っていいところと、いかんところがありますよね。災害とかこういう時って、今まで持ってきた問題が、より一層明らかになっている場面で、まさに今上田さんがおっしゃった、人間の幸せはとにかく金、それを求めることは人間の本質だっていうところですべてをごまかしてきた。だけど、お金があっても明日死んだら意味ない。結局それじゃだめでしょっていうところに気づき始めた。

聖書の中にも、大きな倉建てて、倉に収穫物いっぱい貯めてですね、俺の人生はこれで安心だって言った男に、神様が、「お前、ほんまに安心か、今夜お前のいのち取られるって知ってた？」って言うっていう、笑い話みたいな、イソップ話みたいな話があるんですけども、そこにやっと気がついたみたいなですね。

だけど、ここでもう一歩踏み出したいんですけども、「皆苦」とか「共苦」というのは、弱さこそが人と人をつなぐ共通基盤だということだと思います。言うは易しで実際には難しいですが、事実です。例えば、うちの「抱樸《ほうぼく》」っていう言葉は、原木や荒木をそのまま抱き止めるんだけども、それをやるとお互い傷つく。傷ついても、共に傷つきながらも生きていく。そういうあり方が抱樸です。上田さんにとって、「共苦」というあり方は、具体的にはどういうことになるんでしょうか。

「共苦」の限界と人間の不完全さへの救いと

上田　「共苦」ってものすごく難しくて。だって境遇が違っていて、ほんとに一緒に苦しむなんてことが果たしてできるのか、っていうことありますよね。僕はやっぱり、同時に一緒に苦しみを分かち合って共感しようってことは思うんだけど、でも一人ひとりの人生違うので、あまりにもエネルギーを投入しすぎちゃうと、どんどん元気がなくなっちゃうようなところもあると思うんですよ。で、「共苦」のおもしろいところっていうのは、「苦」っていうのが時間差で来るっていうところも結構大きくて。例えば誰かが、生老病死から言えばね、老いてく。でも若者は老いてくってわからんわけだし、おじいちゃんやおばあちゃんが死に瀕していても、若者はそれを助けていくんだけれども、時間差があって、その時に苦を共にするって言っておじいちゃん、おばあちゃんの介護とかはするけども、ほんとの意味で死が迫ってるってことの苦しみはわからないかも知れないと思うんですよね。「共苦」ってことをものすごく厳密に言って、その苦悩ってものを、ほんとに即時的に今引き受けなきゃいけないんだっていうことになると－。僕、昔学生運動やってたんだけど、差別されている人の気持ちにお前はなれるのか、ここで、言ってみろとか、自己批判しろとかね、とてつもない原理主義に陥っていくような気がするんですよ。だから、そういう意味では苦悩っていうものに向かい合う時に、僕たちはほんとに共感したいんだけれども、でもそこには限界があるって言うんですか。

　だからこそ、こんなこと言ったら怒られるかも知れないけど、イエス・キリストがいてくれたりとか、あるいは例えば『歎異抄《たんにしょう》』とかああいうのを読めば、自分は愚者で愚かな者である、と。そこに阿弥陀《あみだ》さんがいて、阿弥陀さんに向かって、私は生きていくんだけど私は愚かな者で、神にもなれないし仏にもなれないけど、仏ってものを目指して、自分を磨いていくことはできるけど、究極のそれにはなれないっていう部分があるわけですよね。だから、自分の不完全さっていうものを引き受けていかないと、逆に人の苦しみには向かい合えないんじゃないかな。なんか心中しちゃうような気がするんですよ。どうですか、そこら辺は。

奥田　いや、全くその通りで。キリスト教も、別に「イエス・キリストになろう」って言っているのではありません。キリスト教ってのは、基本的にはイエス・キリストに「救ってもらおう」とか「赦《ゆる》してもらおう」っていうことが本質なんです。だからその点で言うと、キリストみたいに「共苦」を求めすぎたら十字架にかけられちゃう。だから、私はちょっと無理で、そこまでできないからこそ「あとはイエス様よろしく」って逃げていく。それが私にとっての信仰ですが。

例えば炊き出しをやるでしょう。最近は僕も五十代後半になり、だいぶ体もきつい。若いスタッフがほんとによくやっていて、すごいなぁと思いながら見ています。真冬の寒い日、具合の悪くなる人も多く、かつては救急搬送は日常茶飯事でした。救急搬送すると明け方まで付き添うわけです。もしかして入院できない場合もありますから。しかしながら、結局私には帰る家がある。どんなに大変でも数時間後にはベッドの中で寝ているような人間ですよ。テレビのドキュメンタリーに出てくる「奥田知志さん」を見ていると、すごいことやっているように見えるんだけども。どれだけ現場で「おじさん、大丈夫ですか」「心配してますよ」「いのちは一つしかないんだ」みたいなこと言っても、数時間後に僕はベッドの中でぬくぬくと寝る。さっきまでのあの優しかった奥田さんはどこ行ったんだと、自分でも思います。とても、とても「共苦」どころではない。

その時に僕は「あとは申し訳ないけど、イエス様よろしく。僕はもうこれ以上できない」「これ以上あのおじさんと同じとこにいたら、これ以上『共苦』をやっちゃうと僕も死んじゃう。申し訳ないけど、僕は逃げる」と言い続けたわけです。そこのだらしなさや正直さみたいなものは、大事に持っていたい。そここそが、今上田さんがおっしゃった「共苦」や「共感」の入り口って言うか、作法みたいなものだと思います。限界を前提としない「共苦」は、人間の神格化へとつながりますよね。

理想を語ることで踏みとどまれるという現実も

上田　いやいや、ほんと、そうなんです。だから、自分はもうできないっていう、有限な人間であってね。僕の本とか結構いいこと書いてあるんですよ。だからね、よっぽどすばらしい人かって思う人がいるわけ。僕の一つの本のどっかに書いてあると思うんですけど、だめな人間なんで、その人間が「こうしましょう」って、ちょっといいこと宣言しとかないと、（笑）酒飲んで「それでえぇわ」ってことになって、どんどんだめになっちゃうんで、本とかに宣言したら、ちょっとやばい、ってことになって、そういうふうに生きようと思うじゃないですか。だから、ほとほとだめな人間が、どうやって生きてくかっていう時に、こういうふうにしましょう、って宣言する。

これまでの日本社会ってのは、そういうふうに宣言したりする人を「それは現実的じゃない」とか「意識高い系」とか「理想論」とか言ってね。あたかも現実とは乖離《かいり》したことを言ってるって。学生さんなんかと話してても、この頃の学生さんの方が現実主義だから「先生、そんな青いこと言ってていいんですか」みたいなことをよく言われるわけ。でね、ほら、マーティン・ルーサー・キングがいたと。ガンジーもいたと。ジョン・レノンも『イマジン』歌ったじゃないかと。だけど、世界で人種差別もなくならなければね、戦争もなくならないでしょう、って。だから、平和にしましょうとか、人種差別やめましょうって、あんなこと言ってたってね、あれは理想論で、現実はそうはなってないんじゃないですか、って。「先生、何でそんなこと言ってるんだ」って来た時に、何て言うかって言ったら、「ガンジーとかマーティン・ルーサー・キングがいたからこそ、この程度で済んでるんだよ」って。もし彼らが現実主義だとかって、「こんなこと言うけど、どうせ差別はなくならないんだけどね」って、言っちゃってたら、どこまでひどい世の中になってるかってね。やっぱり、あそこで、苦しんでいる人たちが、マーティン・ルーサー・キングの話を聞き、ガンジーの話を聞いて一緒に行進することによって、自分を奮い立たせて、自分でも生きてていいんだっていう心の支えにして、生きてきたから、ここまでで済んでるんですよ。

で、なおかつ二十世紀は差別とかが撤廃されていった時代で、たくさんの差別とかいろんなひどいことは今でもあるけども、二十世紀初頭よりも二十世紀の最後に至るところで、だんだん、だんだん、人権意識とかは高まってきたと思うんですよね。もちろん最後の最後でネオリベラリズムみたいなのが出てきて、今度はまたもう一回格差が開いていくっていう局面を迎えてきたけれども。だから、どっちが現実主義なんだと。理想を語るっていうことは、自分が弱い人間で、何もできずに、理想を語ってないと、とてつもなく愚かになってしまうっていう人間にとっては、そっちのほうが現実主義なんですよ。

「はじめに言葉ありき」

奥田　なるほど、そうですよね。私も、すいません、毎週、毎週、礼拝で理想を語ってるような人間ですが、こう見えても牧師さんなんです。明日も朝から、また東八幡《ひがしやはた》教会で話します。最近はネット中継まで始まってですね、ここ二か月ほどはいろんな人がネットで参加する。リアルタイムで配信もしてるんですが、この間コロナシリーズで十何回しゃべってるんですけどね、やっぱり「お前がよく言うよ」っていう顔して見てる人が礼拝堂に何人かいるわけですよ。その筆頭はうちのカミさんですよ。子どもたちはみんなもう巣立って、今東京にいますけども、かつて子どもたちが礼拝に出てくると「親父《おやじ》よく言うよー」って顔しながら聞いている。正確にはイエス様の話してるわけですが、いずれにせよ、語っている人は、実にだらしない。だけど上田さんがおっしゃった通りで、それを言わないともっとひどいことになるっていうことがありますよね。

聖書の言葉の中に、「ヨハネによる福音書」っていうところに、「言《ことば》は肉体となりて我らの中《うち》に宿り」っていう言葉があります。イエス・キリストの誕生を、言葉が先にあったということから始めています。しかし、先にあったその言葉が、肉化

――キリスト教では受肉と言いますが、肉体となって行動し始めるわけです。そして、言葉が教会という形を持ったりする。この言葉と肉体の円環みたいなものが歴史なのだと思うけれど、どちらかと言うと聖書の言っている通り、言葉が先かも知れない。実体はまだ伴っていないけど、まずは言ってしまう、口に出すことが先かも知れませんね。例えば愛するっていう言葉が先にあるっていうことが、愛するということを生み出していくっていう。

ただ、日本の社会は、どっかの時点で、言葉をないがしろにしたと思うんですね。なかでも少なくない政治家が言葉をいい加減に話す。その場しのぎの言葉で済ます。あるいは「改竄《かいざん》」する。憲法も言葉にすぎません。しかし、それを実態ある言葉として血肉化するかが問題なのです。繰り返しますが「日本国憲法」も言葉です。美しい理想だとも言えます。しかし、この「先にある言葉」を言うと言わないでは大きく違う。理想を持たない一部の政治家が「憲法が時代遅れだから憲法変えよう」と言うのだけれど、本当にそれでいいのか。現実は、言葉にせずとも現実として存在している。だから「言葉」が必要であって、特に理想を語ることが重要だと思います。政治家が理想を語らないのは、上田さんのように自分のことを「愚か」と思っていないからだとすると、政治が強権的になっていくことは必然かも知れない。「愚か者」として、皆が理想を宣言することは大事ですよね。

上田　ほんとそうですね。だから宣言して、そこまで言葉で飛ばして、そこまで自分が行くっていう部分があると思うんですよね。みんな、現実主義っていうのは、「そんなこと言ってたって、理想論だし、そんなことあり得ない」っていうところにとどまっている、と言うかね。いろんな人と話してても、「いや、私の中には愛なんかありませんから」「そんな大した人間じゃない」と、今、自己信頼ものすごく低いので「そんな偉そうなこと言える人間じゃないですから」って、こう言うんですよね。でも、その人が例えば東日本大震災のボランティアとかに行って、何か必死に頑張って、「ありがとう」って言われると、自分の中にはそういう能力なんかないんだって言われる人が、ないからやらないんじゃなくて、やって、「あなたって、すごい思いやりがありますね」って言われて、その気になる。ないからやらないじゃなくて、やって、できた時に、初めてそれがあるのがわかるんですよ。

だって「私の中に愛はあるか」なんて言ってて、恋愛なんかできないじゃないですか。誰かと恋に落ちてしまって、こんなに自分の中に愛する気持ちがあったんだ、って後から気づくので。

奥田　「これが愛だったんだ」みたいなものが出会いの中で後々わかる、ということですね。

「想定外の出来事」が人生を広げてくれるのかも

上田　だから、そういう意味では、そこら辺の理想論って言ってるやつと現実論っていうのが、とてつもなく人間が前に進んでいかない現実主義。人生を前に進めることができない現実主義って、ものすごくフラットでべちゃっとしたー、「結局そんなもんでしょ」っていうようなものになってしまったと思うんですよね。そういう現実主義を何が打ち破っていくかって言うとー。

例えば仏教とかだと、生老病死の四苦八苦、生老病死が四苦ですよね。これ、「生」が入ってるのが変じゃないですか。「老病死」って言ったら「苦」だってわかりますよね。でも「生」って「生きる」って、なんか楽しいこともあるから、必ずしも「苦」とは思えないんじゃないか、と。生きることは楽しくて、「老病死」が「苦労」なんじゃないかなって、我々何となく誤解しているところがあるけど、なんで「生」が入ってるかって言うと、仏教における「苦」ってのが思い通りにならないこと、っていうことなんですよね。生きることも、考えてみたら思い通りになること少なくて、思い通りにならないことばかりなんですよ。だからそういう意味では、「老」老いることも、「病」病を得ることも、思い通りにならないと同様に、生きることも思い通りにならない、ってわけなんですよね。

ところが、我々の社会って、高度成長経済のところあたりから「思い通りになることなんだ、人生は」と誤解してしまったんですよね。で、そこに頭をガーンて殴るのが、これ、「想定外の出来事」（とカードを見せる）。我々、想定外の出来事なんて、一つもなければいいって思って生きてるんだけれども、実際は想定外の出来事が多いわけなんですよ。例えば、どっかの高校に入りたいって言ったって落ちちゃうし、恋したって失恋しちゃうし。結婚したって離婚しちゃうし。だから、そういうものがあってですね、逆に想定外の出来事が我々の頭をぶん殴って、そういうふうに気づかせてくれるわけなんですよね。ところが、日本社会って、今までどうかって言うと「想定外の出来事を考えちゃいかん」と。「そんな不吉なこと言うから、そんなこと起きるんだ」と。第二次世界大戦の時もそうですよ。勝つことだけを考えなきゃいけない。だけど、世の中、プランAがあって、それが失敗したらプランBを用意して、プランCも用意してって、最初の第一希望が満たされなければ、プランBも行く、プランCも行くと。そんなふうにやっとかなきゃいけないのを、プランAだけ考えて、ミッドウェー海戦で惨敗し、その後も連戦連敗で敗色が濃くなっても、少しでも「敗戦」の可能性を議論しようものなら、そんな不吉なこと言ってるからそんなことが起きるんだ、とか。とにかく全員で一丸となってやらなきゃいけない。それがだめになった時を想定してはだめなんだ、っていうね。なんか、想定外の出来事ってのを想定しちゃいけないっていうことを考えてる。だから逆に自分が老いに瀕した時に、そんなの想定外だったとか、病になったのは想定外だったって。だから、仏教的な考え方ってのは、常に想定外のものっていうのが起こってきて、それが苦悩なんだけれども、その苦悩っていうのが、そもそも人生なんだから、思い通りにいかないことがあっても、そこでプランBに行きましょうよ、と。ある種の想定内にならないことっていうのが、神様か仏様からの啓示として、「お前、そんな、うまくいかんぜ」って言ってくれてることなんだから、虚心坦懐《きょしんたんかい》にそれを受け入れて、生きていきましょうと。

だから例えば渡辺和子《わたなべかずこ》先生が「置かれた場所で咲きなさい」って言うのも、あれ多分、神様に置かれたんじゃないのかな。どこでも置かれた場所で咲きなさいって、ブラック企業でも生きてけって言うんじゃなくて。プランBってところがあって、でも置かれた場所で逆に自分が咲くにはどうしたらいいのかっていうことを、真摯に取り組んでいくんですよっていう、すごい積極的な話だと思うんですよね。だから、「一切皆苦」とか、何か想定外の出来事が起こってくるって言うと、みんな、「それ、諦めですか」とか、そういう意味に取るんだけれども、むしろ、そこ、プランBであっても生きてくっていう強い教えだと思うんです。今、コロナって、ものすごい想定外の出来事が日本国民全員に降りかかってきたんだけれども、さあ、そこで、その想定外の出来事に対して、その中でも、じゃあどう生きてくかっていう。「そんなことは考えちゃいけない」って言うんじゃなくて、考えなきゃいけないんだから。だから、これからはやっぱり僕たちは、ま、これから若い子たちはもう六十年、七十年生きていくし、奥田さんとか僕も、まあ酒飲みすぎなければ、十年、二十年は生きるわけですけど、そんな中でも、想定外の出来事が起こっていくし、むしろそこを何か、自分のきっかけにしていかなきゃいけないんだぞ、っていう人生観に変わっていくんじゃないですかね。

奥田　いやあ、ほんと。そう思えたら、ある意味楽だし、元気も出る。私、ホームレスとか困窮者の支援、三十数年、大学時代から入れたらもう四十年くらいやってるんですね。で、この頃、ずっと一緒に苦労してきたスタッフの皆さんと「これ、三十数年やって、何が良かったかね」って話をする場面があって。何が良かったかって言うとー。いろんないいことあったんですよ。人間の希望も見たし、弱さも見たし。あのね、最終的にはね、どんなことがあってもね、「まぁ、そんなことぐらいあるやろう」って言えるようになりました。それが一番良かったことかな。

上田　（笑）悟りの境地ですね、それは。

奥田　これがね、そのもう、プランBどころかプランCでもDでもEでもー、まあ、そんなこともあると思える。まさに、「どこでも咲くぞ！」みたいな。でも、最初はそうはいかない、若いと言うか。おじさんたちが全く想定外のことをやってくれる。プランAつぶれるわけです。そのたびに「えぇ、嘘《うそ》！」「なんでそんなことすんの、このおじさんは」とかね。「信じられない」「この人、どうなってるんだ！」と、いちいち驚きの連続だったんだけども、最近は例えば若いスタッフから「大変です！　こんなことになってます！」って言われても、「まあ、そんなことぐらいあるやろう」と言える。さらに「なんで？」って聞かれたら、「人間だもの」としか言いようがない。人って、そうなんだと。予定通りいかないし。

支援現場ってのは傲慢で、特に支援の専門家になるほど自分のプランに相談者を合わせようとする。どっこい、そうはいかない。そもそもそんなことができるのなら、私たちのところに相談に来ていない。そん時に必要なのは、上田さんがおっしゃった、プランB、プランCという、これでもか！　という自由さだと思いますね。

しかも、それは失敗でもない。それは人生が広がる瞬間かも知れない。それは、当事者にとっても、支援員にとっても、想定したプランAの行き詰まりが、新しい可能性の入り口かも知れない。今まで無価値だと思ってきたものが突然すごく輝いて見える瞬間がある。今まで捨ててきたもの、相手にしてこなかった存在が、助けてくれたみたいなことが起こる。単に諦めが広がるのではなく、可能性が広がる。発見というか、見出《みいだ》しの境地みたいなものがプランがつぶれるたびに広がっていく。「ああ、こんなところに、すごいことがある」と気づかされる。「置かれた場所で咲きなさい」っていうのは、そこで我慢しろということではなく、どんなところであっても私たちの知らない物語がある。それに気づけということでしょうか。

孤立と孤独と

奥田　そこで上田さん、次の話題。楽しいもんだから、どんどん時間が経《た》ってっちゃうんだけど。

コロナの状況を含め災害時っていうのは、それまでの社会が持っていた脆弱《ぜいじゃく》性とか矛盾てものが拡張して現れると私は考えています。もともとあった経済格差や不安定就労とか、それに今回追い打ちがかかるのではないかと心配しています。それでこのクラウドファンディングを始めたんです。残念ながら、この想定は多分的中します。経済的な問題と並行して心配なのは、この社会がコロナ前から孤立化していたという問題です。経済的困窮と社会的孤立が重なれば自殺に追い込まれる人が増えるのではないかとも思います。ＯＥＣＤのデータを見れば、二十か国中日本が一番孤立が進んだ国であることがわかります。二〇〇五年時点ですが日本の孤立率は十五パーセント超えています。アメリカは、三パーセント台です。日本とアメリカでは日本が五倍孤立していることになります。これは、何ら根拠のない「庶民の噂」程度の話題ですが、アメリカに比べて日本でのコロナ感染が広がらないのは、政府の防疫政策が成功したのではなく最初から「孤立していた」からではないかと。日本は、孤立が進んで「感染もできない」国になっている。ちょっと笑えないジョークですが。

上田さんの本、私が最初に読ませていただいた

『スリランカの悪魔祓《ばら》い』のあの本、めちゃくちゃおもしろくて、今、もう一回読み直そうと思う内容だと思うんですね。結局、病気って、なんで病気になるのか、それは孤立、孤独が問題なんだって明確に書かれていたと思います。そして、それを癒すのは、共同体のつながりだと。でもコロナの状況下では、なるべく人と接しない、密にならないでおきましょうと言われてしまう。でも、これは新たな病気の入り口かも知れない。「ステイホーム」と言って「外出は控える」ということは、確かにそうなんだけど。そもそも孤立が進んでいた日本の状況からすると、これは全く別の意味で「危機的な状況だ」と思うんですよね。あの『スリランカの悪魔祓い』の観点から見て、今の日本の状況、どう見られますか。

上田　『スリランカの悪魔祓い』を書いた時は、僕はまだ二十代から三十代にかけてですけれども、日本の中で僕自身がすごく孤独でね。その中でスリランカに行ったらば、悪魔祓いの儀式をやって、徹夜で、村人たちが悪魔が憑《つ》いたっていう患者さんの家に集まって、そしたらシャーマンが出てきて、もう踊りあり……。最後にはシャーマンが仮面かぶって、ちょうどここに本がありますが、こんな感じの。駄洒落《だじゃれ》、下ネタ、替え歌をワーッて言っては村人がワッて笑い合うと、患者さんもウフフって笑っちゃって。「患者が笑ったぞ、笑ったぞ」とか言って、楽しいうちに朝が来る、と。そしたら患者さんの悪魔憑きが治っちゃうと。「どうして治るんですか」ってシャーマンに訊《き》いたら、「どんな病気も、心がわくわくしないと治らないんだよ」って言って。その時に僕は、病院に行ってわくわくするかなって、ただ体だけ治しても、わくわくせんとだめなんだなあっていうことを一つ思ったのと、「どんな人に悪魔が憑くんですか」ってってったら、「孤独な人」。孤独、「タニカマ」ってんですがね。

奥田　「タニカマ」、あの言葉だけは忘れられないです。あれはね。孤独。

孤独に悪魔のまなざしが来る

上田　孤独に悪魔のまなざしが来る、孤独な人に悪魔のまなざしが来ちゃうっていう、そこが、僕、すごく心に残ったところでね。って言うのは、僕らこうやってまなざし合ってるんだけれども、そのまなざしが冷たくなる、人と人との間のまなざしが冷たくなったり、「僕にはまなざしが来てないな」っていう人に、悪魔がまなざしてくるんですよね。で、悪魔憑きになっちゃうと。だからそのまなざしの地獄っていうような部分があって、悪魔にまなざされてしまった、悪魔に魅入られてしまった人が、みんな村祭りで楽しく笑い合ったら、「いや、なんだ」って、どんどん、どんどん遠縁の親戚のおじちゃん、おばちゃんなんかも駆けつけてきて、「どうしたんだ」って言って。そうなってくると、「こういう人たちのまなざしに支えられてるんだなあ」って、その孤独が癒やされていって、悪魔憑きも治っていくっていう、こういう儀式なんですよね。そうすると、日本社会の中で、このところずっと強まっていたのはですねー。まなざしはたくさんあるんですよ、我々、見られてる。そのまなざしが、「あなた、自由に生きてください」って、「僕は、あなたの、思い通り生きていくあなたを支援してますよ」っていうふうに思えるのか、いや、「お前、抜け駆けは許さないぞ」とか「お前がそこで倒れようが、誰も助けないんだからな」というまなざしに見えるのか。例えば、若い人たちに「どういうふうに、まなざしって見える？」って訊いたら、みんな後者の方、答えますよね。

この前、講演で、「長いものに巻かれろとかそういうんじゃなくて、自分がやりたいことを、まずやっていくんだよ」って言ったら、新卒でサラリーマンになった人が、「いや、そういうこと初めて聞きました」と。「僕は中学の時から、スマホを持ってて、そうするとスマホ上のＳＮＳで友達から何を言われるかってことばかり気にしていて、変なことを少しでも言ったら、むちゃくちゃなこと言われるので、もうそこから、変なこと言われないように言われないようにってずっと生きてきたから、自分が自由に生きていいんだっていうこと、初めて聞いた」って。ちょっと盛ってるんでしょうけど、それは。とはいえ、ほんとに周りの人間は、「お前は本当にやりたいことやったら、罰するぞ」あるいは「あなたはここで倒れたって、誰も助けないよ」って言う。それって、その頃の僕の、渋谷のハチ公前広場での「こんなにたくさん人がいるけど、この中でむちゃくちゃ孤独なんだなぁ」っていう、孤独さにも合致してて。つまり、人がこれだけいるのに、こんなに孤独なんだっていうことの孤独さで。だって砂漠に、アラビアのロレンスで行って「孤独だなあ」って言っても、「それは孤独でしょ」で終了だけど。こんなに人がいるのに、誰も僕のこと気遣ってくれないんだ、っていう孤独が、人間の一番の孤独。で、そういう時に、スリランカでは悪魔が来るっていう、そういうことなんですね。

だけど、スリランカでは、そういう時に悪魔祓いの儀式がある。ってことは、悪魔祓いなんて、すごく原始的な儀式で、そんな前近代的な迷信みたいな儀式、やるのはおかしいでしょ、ってみんな言うけど、じゃあ、悪魔祓いみたいに、孤独になってしまった時に儀式を持ってる社会と（我々の社会、どちらがいいのか）。我々の社会だったら、そうなってしまったらもうリストカットをするか、あるいは依存症で酒ばかり飲んで潰れちゃうか、あるいはほんとに見捨てられてどんどん鬱《うつ》病になっていくか。つまり、人間にとって孤独になっていくっていうのはものすごく普遍的で、さっき「一切皆苦」って言ったけど、ほんとに誰でもそういうところに落ち込むわけじゃないですか、人間って、危機になる時は。どんなに苦悩があっても、その話が聞き遂げられていて、誰かと関係があれば、それは最大の苦悩ではないので。ところが、ネオリベラリスティックに、「ただ金があれば、あなた自己責任で何でも自分を守っていけるでしょ」って、「そんなつながりよりも金なんだ」みたいに組み換えたところで、人間の一番の苦悩である孤独っていうものを、まさにむしろ促進させていってしまっていて、そこには悪魔祓いの儀式はない。

　奥田さんがやってんのはね、日本の悪魔祓いだと思うんですわ。キリスト教者に仏教の民族儀式の悪魔祓いのシャーマンだって言ったら怒られるかも知れんけれども。そういうことやられてるんだなっていうふうに僕は思ってますけどね。

奥田　ほんとに上田さんのその視点って、たくさん学びましたし、特にあの本で言うと、今おっしゃった、日本に帰ってきてからの孤独感のあのシーン、あのページあたりは、ほんとに身につまされる。それまでは何かスペクタクル小説みたく読んでるんだけど、いざ日本に帰ってきた上田青年がものすごい孤独の中に東京に降り立つっていうあの場面は、ほんとにそうだなとあ、と。三木《みき》清《きよし》っていう人が七十年ぐらい前に『人生論ノート』っていう本を書いて「孤独は山になく、街にある」って言うんです。「一人の人間にあるのでなく、大勢の人間の『間』にあるのである」って。七十年ぐらい前の本なのに、今の状況そのものです。確かに、山の中で一人住んでる人、住もうと思っている人は、別に孤独じゃない。街の中で人がたくさんいるのに独りぼっちを感じている人、多くの人の中にこそ孤独がある。三木清が言った言葉は、ほんとにそうだと。

　しかもですよ、このコロナの状況は、多くの人が一緒にいる場面すら否定した。だけど、私は逆に、先ほどの第二のプラン、第三のプラン、プランB、プランCっていうもので考えると、目の前にいた人が結局関わってくれないという孤独にさらされてきた我々が、目の前にも人がいなくなった時に、ほんとの寂しさみたいなものを感じて、想像力や共感する力を最大に発揮して、つながりたいって思う。これは希望的な観測ですが、一方でそう思うんですね。ですから、このコロナの状況と、この孤独の話っていうのは、これからもどんどん深刻化すると思います。ところで、今大学でリモートで授業されてますけども、これって、コミュニケーションですかね。

上田　ほんとに出会えなかった新入生なんかが、こうやってオンラインで授業やって、四人一組とかで語り合って、みんな「ほんとにやっと会えたね」とか言って、すごい感動的なんですよね。だからほんとに人間はこう……。彼らは卒業式もできなかった、入学式もできなかった。ここで初めて出会えたという意味では、すごくいいと思うんです。みんなすごく、ほんとに喜んでるし。ただ、やっぱり、ここだけじゃ寂しすぎるって思っちゃうのは親父世代なのかも知れない。でも彼らも、ほんとに会いたいね、って。あと、結構ここで予定合わせて、実はリアルに会ってる子たちもいるみたいなんですけどね。

奥田　なるほどね。こういうネットのやり取りって最後に「退出」ってボタンを押すじゃないですか。退出した瞬間に、目の前の人消えるんだけど、僕は退出してなくて一人残されてる。理解に苦しむ。なんだけども、やっぱり私は、顔が見たいっていう単純な思いを、言葉化せないかんと思うんですね。しょうがなく新しい生活様式っていうことに行くんじゃなくって、それでも俺たち顔が見たいんだと。

（中略）

仏教の寓話に見る「共苦」

上田　新しいご縁の作り方になるのかなあって、思うんです。仏教って「一切皆苦」って言ってるんだけど、「苦」を「縁」に変換してく——「えん」ってのはご縁の。お金の方の「円」じゃなくて——装置だと思うんですよ。誰かが「苦しい」って言った時に、その「苦しい」ってのが「共苦」

「compassion」ってのを起動させて、「いかんいかん、苦しんでる人がいるから」って、自分の中から共苦の感覚が呼び覚まされてね、「じゃあ、助けてあげましょう」っていう、このご縁が出てくる。

あ、そうそう。仏教の中でね『キサーゴータミー』の寓話《ぐうわ》って、ものすごく有名な寓話があるんですよ。お釈迦《しゃか》様のところに、乳飲み子を亡くしたばっかりの若いお母さんが駆け込んでくるんで「お釈迦様、私の子どもが今死んでしまいました」って言って。お釈迦様はいろんな村を転々として説教してんだけどね、この村にお釈迦様が来てるってことで、万能の力を持ってるんで「お釈迦様のところ来ました」と。「この子を生き返らせてください」って言うわけ。お釈迦様は「わかった」と。今自分が投宿している村の一軒一軒を訪ねて、死者が出ていない家があったらば、そこでケシの実を一つもらってきなさいって、言うんですね。そのケシの実があなたの手の上に三つ乗ったら、ケシの実三つ持って帰ってこいと。「そしたら、あなたの赤ちゃんを生き返らせてあげよう」と、こう言うわけ。で、泣きながらそのお母さんが村の一軒一軒訪ねて、最後に「ケシの実、一つももらえませんでした」と。で、「あなたに帰依します」って言うっていう話なんですね。

これをね、頭だけで考えてみるとどういう話かって言うと、そりゃ、諸行無常だと。あと、生老病死で、みんなは死ぬんだと。そのことを悟った、人生はこういうものでしょと。学校の先生はそっちの方で推すわけ。ところが、じゃあ、お釈迦様はなんで、「諸行無常でみんな死ぬんだよ」って言わないで、村の一軒一軒を訪ねさせたのかっていうのが、お釈迦様の「compassion」のところなんですよね。例えば、そうやって村の一軒一軒を訪ねた時に「いやあ、うちも死人が出てるよ。帰れ帰れ」って言うかって。「ああ、今、ほんとに悲しいだろうね」って、「うちのじいちゃんが六十歳で亡くなったけれど、それでも私こんなに落ち込んでんだから、ほんとに、乳飲み子が亡くなってしまったあなた、どれだけ苦しいんだろう。まあ、お茶でも飲みなさい」とね。で、次の家に行ったら「私もそういう経験があったんだけど、本当にそれで一、二年はだめだったけど、でも十年経《た》ってみたら、何とか希望ができて、こうやって生きてるんだから、あなたも苦しみは癒えないだろうけど、でもねえ」っていうふうにね、民衆っていうのはー。

奥田　「共苦」していくわけですね。

上田　そう。「共苦」して。「死ぬの当たり前でしょ、それが無常ってもんだよ」みたいな仏教学者みたいなことは一人も言わないわけ。そういう「苦」を抱えてる人間が、ただ「苦」を抱えてるんじゃなくて、ご縁を結んでいって、弱い人間たちがそのご縁の中で本当に「共苦」の中で生きてく、そういう仲間がいるんだよっていうことを教えたいから、お釈迦様はケシの実もらってこいって、言った。だから「compassion」「共苦」っていうのは、まさにそういう意味で、苦しみがあればこそ、自分の中から湧き上がってきて、そして、そこで関係ができるっていうことがー。苦があることが不幸せなんじゃなくて、苦があってもそこでご縁が結ばれれば、我々は、弱い人間たちは、その中であっても、やはり幸せってものに触れていけるんだ、って、その寓話だと思うんですね。

奥田　そうですよね。同じまなざしっていう言葉でも、悪魔のまなざしと人を癒やすまなざしがある。苦難という言葉においても、その苦難が、縁のきっかけ、真理契機みたいに展開していく、そういう社会にならないかんですよね。だから、ネットで十分かとかそんな薄っぺらい話じゃなくて、この出会いがまさに苦を伴うような出会い、そこが縁を結ぶような出会い、ちゃんとその余地があるって言うか、伸びしろがある出会いでないといけない。「退出」で終わる出会いだったらだめですよね。

私は、それこそ絆《きずな》は傷を含むってことをずっと言ってきましたし、そんなふうに人と出会ってきました。人と人が出会うと傷を受ける、でもそれこそが、人がつながっている証拠だし、生きていくっていう、共に生きていくっていう中身だ。となると社会というのは健全に傷を分配する装置なんだと。誰か一定の人が全部受けちゃうんじゃなくて、みんなでちょっとずつ傷を分配して、それを縁に変えていく。まさに上田さん、今おっしゃった通りです。私、このコロナもチャンスに変える、縁を結ぶ入り口に来たんだっていうふうに、今日思わされました。

時間が来ましたので、最後に、聞いてくださった、見てくださった皆さんにメッセージ、もしくは我々に対する応援も、よろしくお願いします。

上田　はい、応援したいと思うんですね。例えば仏教の方だとね、今お寺さんがひどいって話になって。お布施ばっかり取って、何もやらんと。全然衆生も救わないとかいろいろ言うんだけど。でも僕、途中でお寺さん替えたんですけれども、その方って、ハンセン病の患者さんを支援してるお坊さんで、あと、東日本大震災があったら、何回も炊き出しにお弟子さんとかあるいは門徒さんを引き連れて行っちゃうようなね、お寺さんなんですよ。で、だめな坊さんに対してはお布施しちゃだめだと思うんですけど、お布施ってのは、自分の持てるものを与えていくってのもあるし、仮託していくってものでもあると思うんですよ。つまり、僕は震災の現場には行けない、あるいはハンセン病の方々の現場には行けないけれども、お布施を託せばね、その彼が、苦しんでる人をお釈迦様の慈悲の光に照らして探し出してくれて、その人にまさにご縁を届けてくれるという。となるとね、僕、そのお寺さんにお布施すんのがすごくうれしくなっちゃって。だって僕がここで十万円持ってても、何回か飲んだらぶっ飛んじゃうじゃないですか（笑）。だけど、それをそこに、「徳の投資信託」みたいなもんで、そこに信託すれば、その方が、まさにお釈迦様の目で苦しんでいる人を探し出してくれて、そしてそのお金を僕の何倍にも生かしてくれる。

だからそういう意味では、奥田さんも、ある種そういう部分があって、そこに託することによって、僕たちはその現場にまでは、ま、行った方がいいのかも知れないけど、僕たちには僕たち一人ひとりの現場もあるから、行けないんだけども、やっぱりそこの人に、キリスト教だったら「光を届ける」とか、あるいは仏教だったらまさに「ご縁を結んでいく」っていう、そのことをしてくれてるんだなって思うんですよね。だから、そういう意味ではある種の布施行《ふせぎょう》って言うか、持てるものを差し出していくっていう。そして実は、お布施とかをしてる人の Quality of Life って言うか幸福感ってのは、すごい高いって言われてるんです、この頃。自分のためだけにお金使ってる人よりも、お布施をしてる人の方が、実はその人も幸せになる。つまり何かそこで、自分が縁を結んでいくことによって、一人ひとりがものすごく孤独になっている僕たちがもう一回世界と再接続して、自分のこういう小さな世界に押し込められてる僕たちが、より大きな世界ともう一回つながっていくし、そこで世界を発見していくっていうような行為なんじゃないかな、と。

はい、それが僕からの応援メッセージですけども。奥田さんも今日は、悪魔祓い師にさせられたり（笑）、布施行のお坊さんにさせられたり、いろいろ大変でしたが、ぜひぜひ、頑張っていただきたいというふうに思います。

奥田　ありがとうございました。今日は上田さん、お忙しい中お付き合いいただきましてありがとうございました。今後ともよろしくお願いいたします。

上田　はい、よろしくお願いします。ありがとうございました。

第3章 他者と出会う

助けてと言えない四つの理由、それでも希望はある

（2019/11/24 note）


「なぜ、もっと早く相談しなかったの」と言いたい場面がたくさんあった。

しかし、困難が深刻化するほど人は「助けて」と言えない。

早めに相談に来ない人、それが困窮者だ。なぜ彼らは「助けて」と言えないのか。


第一に「知らない」ということ。

どこに行けば相談できるのか。どんな制度があるのか。自分の権利。知らないと使えない。学校では「困った時に使える制度」は教えてくれないが、若者たちは容赦なく格差の荒海に放り出されている。

「冷たいビールが飲みたい」と思う人とはどういう人か。それは「冷蔵庫があるということを知っている人」だ。冷蔵庫を知らない人は、温《ぬる》いビールを出されても不思議に思わない。しかし、冷蔵庫の存在を知る人は怒るだろう。知らない人は求めることさえできない。

第二に「孤立」がある。

人は他者を通じて自分を知る。生きる意味も他者との出会いの中で知る。しかし、「他者性」を失うと自分がわからなくなる。

さらに、生きる意味さえも見失う。路上の若者は誰もが崖っぷちに立っていたが、一様に「大丈夫」と言っていた。プライドの問題ではない。

彼らは自分が危機的状況にあることに気づけなかったのだ。

隣に座り、話し込む。だんだんと自分の状態に気づき始め、ついには「助けてもらえますか」と言い出す。

孤立は自己認知機能を低下させる。

第三に「常態化した自己責任論」がある。

路上の若者たちは、「助けてと言っても『何を甘えているんだ。努力が足りない。自業自得だ』と言われるだけだ」と言っていた。

本来、自己責任と社会の責任は対概念だ。社会が助けることで自己責任が取れる。家のない人に「ハローワークに行け」と言っても仕方ない。しかし、社会が住宅を支援することで、「ハローワーク」に行くことが可能となる。社会が責任を果たすことで自己責任が取れるのだ。しかし、「自己責任論」は社会が責任を取らない言い訳になっている。

これでは自己責任は果たせない。

第四に「生きようと思えない」こと。

これが一番難儀なのだ。自分の権利や使える制度も知っている。自分がいかに危機的な状態かも、自己責任論の誤りもよくわかっている。しかし、「生きる意欲」がない。その気にならないのだ。

馬を水辺に連れていけても水を飲ませることはできない。

「人」は馬よりも複雑でナイーブだ。そんな「人」がもう一度立ち上がり、生きようと思うにはどうしたらいいのだろうか。三十年間の活動はこの一点に集約される。

特効薬はない。辛抱強く訪ね続け、出会い続けなければならない。

その時、大事だったのは、「人の心を変えることはできない」という現実をわきまえること。力ずくで変えようと思わないことだ。

人の心は「時」が来れば「自ずと」変わる。それまで待てるか。支援者とは「待つ人」なのだ。

支援者にとって大切なのは、口にせずとも「生きてほしい」「幸せになってほしい」と強くて頑固な意志を持ち続け、そして待つこと。

そのような言葉にならない対話を続けるのだ。その人の中に希望はなくとも、その人を思う人が希望を持つ限り、「その人の希望」は存在し続ける、と信じる。

希望は外から差し込む光のようなもの。ここでも「他者性」が大きな意味を持っている。

「なんちゃって家族」の最大の特徴は「質より量」であること

(2019/11/29 note)

ＮＰＯ法人抱樸《ほうぼく》は、互助会を作っている。抱樸が目指すものは、「大きな家族」――「なんちゃって家族」だと言える。僕は、抱樸とその家族が好きだ。

先日、古本屋で「へんないきもの」という本を見つけて、思わず手にした。思うに、抱樸に集う人々は、相当に「へんないきもの」だ。

だが、よく見ると、この社会が実は「変」だったりする。社会が歪《ゆが》んでいるゆえに、従来「まとも」なものが「へん」に見えているだけなのかも知れない。

先日、互助会のバス旅行があった。二〇一九年度は四十五人が参加。天候にも恵まれた。参加者の多くは苦労の末に抱樸にたどり着いた人々で、一番つらかった時期にお互いが出会っている。だからこそ笑顔で過ごす一日は、私には「奇跡」に思える。「ありがたい」が思わず口から出る。

現在、抱樸の互助会は会員数二百八十名。そのうちホームレスからの自立者が百五十名。互助会の名前の通り「助ける側」と「助けられる側」をなくしたチームになっている。会費は月五百円。

今回のバス旅行をはじめ、春はお花見、秋は運動会、毎週のカラオケ、卓球、さらに水曜の「なごみカフェ」など、楽しいことも盛りだくさん。「声かけボランティア」や「お見舞いボランティア」、引っ越しの手伝い、世話人による日常的な見守り活動、年賀状や暑中見舞いの発送など、働きは多岐にわたる。

何よりも大切なのが「互助会葬」と「偲《しの》ぶ会（いわば法事）」。通常、葬儀は家族が行う。しかし、私たちが出会った多くの方々は、家族がいないか、あるいは疎遠になっていた。だからほとんどの家族は、葬儀に来ない。抱樸互助会では、赤の他人が葬儀を行い、偲ぶ会（法事）を行う。

それは、互助会が「家族であること」を明確に示している。

「家族」とは何か。それは「面倒をかけ合う関係」を指す。子どもの頃は、親に面倒をみてもらい、老いると子どもに面倒をみてもらう。どこまで行っても「面倒な人々の集合体」、それが「家族」だ。

しかし、これまでの家族は、いわば「閉じた家族」だった。メンバーは限定され、「血縁」によって結ばれていた。

そのような「閉じた家族」ゆえに、すべての責任が限られたメンバーにのしかかり、ついには憎しみ合い、絶縁に至る。従前の「家族」の限界は明らかだ。

さらに、「閉じた家族」は、「他人に迷惑をかけること」あるいは「身内の恥を外にさらすこと」を恐れた。先日の「他人に迷惑をかけてはいけない」と息子を刺殺した父親の事件は、「閉じた家族」の「しんどさ」を象徴した。

それは、自己責任論社会が生んだ惨劇だと言える。

「父親の責任」が強調されたが、身内に責任を押し付ける「社会の責任」は不問のままだ。

抱樸は「新しい家族」を目指している。それは「開かれた家族」だ。

少数精鋭の「閉じた家族」ではなく、数で勝負の「なんちゃって家族」だ。

それで十分だ。どのみち「迷惑」「面倒」をかけ合うのが家族であるのなら、それを「特定の数人」に押し付けるのではなく、できるだけ大勢で分担する。

その日、元気のある人は「少し多めに」担えばいいし、元気がない人は「担っているふり」をすればいい。

この点で家族は多い方がいい。

苦労は頭数でごまかそう！「なんちゃって家族」の最大の特徴は「質より量」ということだ。

Memo

トピック
父親が息子を刺殺した事件

二〇一九年六月一日東京都練馬区の自宅で、父親（農林水産省の元事務次官で当時七十五歳）が長男（無職で当時四十四歳）を刺殺した事件。息子は引きこもりで家庭内暴力もあったという。事件当日、近隣の小学校の運動会に腹を立てた息子と口論になり、周りに危害を加えるのではと恐れた父親が、刃物で刺したもの。数日前の五月二十八日には川崎市登戸通り魔事件（二十人殺傷）が起きており、その犯人と息子の境遇の共通性から、同様の事件を恐れたとの供述も、捜査段階ではなされた。

同年十二月、一審東京地裁で裁判員裁判が行われ（殺人罪）、同月十六日に懲役六年（求刑懲役八年）が言い渡されたが、被告の弁護人が二十五日に控訴した。

ちなみに教会は「神の家族」と言ってきた。それはクリスチャンだけに限定された言葉ではない。全人類が「神の家族」なのだ。

全人類！　おお、頭数は十分ではないか！　あの惨劇を繰り返さないために、あなたも「なんちゃって家族」にならないかあああ！

確信犯の時代——日常とは

（2020/01/09 note）

現代は「確信犯の時代」だと言うことができる。

「確信犯」は、「悪いことだとわかっていながら行われた犯罪や行為」という意味で使われることが多い。実はこれは原意ではない。

「確信犯」は本来「道徳的、宗教的または政治的信念に基づき、本人が悪いことでないと確信してなされる犯罪」を指す。悪いとわかっていて実行される犯罪のことではなく、「良いことをしていると確信して実行される犯罪」を意味する。周囲や社会がそれを断罪するが、本人はそれを犯罪とは認識しない。

相模原市で起こった障害者虐殺事件においても容疑者の青年は、「日本と世界の経済のため」に「生きる意味のないいのちを抹殺した」と主張している。彼にとって障害者を抹殺することは犯罪ではなく「社会貢献」であった。ヘイトデモやその先導者である「在日特権を許さない市民の会（在特会）」も「確信犯」であり、正義の名の下に他者の尊厳を侵し続けている。だから、「悪いことをしている」という自覚はない。

彼らは、国のため、正義のために行動したと思っている。その最たるものが戦争で、戦場には英雄しか登場しない。戦争は、常に確信犯として実行される。

ただ……戦争には、良い戦争も悪い戦争もない。

戦争が悪なのだ。

一方で、いのちに意味のあるいのちも意味のないいのちもない。

いのちに意味があるのだ。

戦争反対！！！

いのちこそ宝！！！

東《ひがし》八幡《やはた》キリスト教会の幼小科（子どものクラス）では、毎年の春に「平和の旅」を実施している。すでに二十年以上続いている。長崎、広島、沖縄を順々に訪ねている。二〇一五年は長崎へ。四度目の長崎訪問となった。

二〇一五年の旅のガイド役をしてくださったのは二〇一四年の平和式典において被爆者代表としてスピーチされた城臺美彌子《じょうだいみやこ》さん。

原稿になかった「集団的自衛権の行使容認は日本国憲法を踏みにじった暴挙」と安倍首相（当時）にぶつけた方である。

爆心地公園の一角に「当時の地層」が展示されている場所がある。瓦や食器、焼けたガラスなど、当時の「日常」の断片が残る。造成の際、成人女性の骨と、乳歯を伴った頭蓋骨が見つかったという。かたわらには炭状のそば殻も。寝ていた母子が一瞬にして亡くなったとのこと。胸が痛む。

城臺さんは子どもたちに「平和とは、何ですか」と尋ねられた。子どもたちは「戦争がないこと」など答えていた。城臺さんは「さっきパン屋さんの前を通った時おいしい匂いがしました。私はあれが平和の匂いだと思います。日常生活がそのまま続けられることが平和です」とおっしゃった。

戦争になると日常生活ができなくなる。自由に食べることも、学ぶことも、語ることも、戦争は奪っていく。当然おいしいパンも。それが戦争だ。

かねてから貧困と格差が戦争につながると考えてきたが、考えてみるとすでに戦争は始まっているのだ。すでに貧困が日常を奪っているからだ。

では、日常とは何か。それは「普遍性」に関わる事柄だ。すなわち「私の日常」は、同時に「彼の日常」でもあるということ。

寝て、起きて、食べたいものを食べて、自由に学ぶ。

すべての人は、この何気ない日常に生きている。それが大事なのだ。

自らも被爆しつつ、それでも救護活動を続けた永井《ながい》隆《たかし》博士は、原爆投下後「如己堂《にょこどう》」という二畳ほどの小さな家に身を寄せた。「如己」とは「己の如《ごと》く隣人を愛せよ（如己愛人）」という聖書の「マルコによる福音書」第十二章のイエスの言葉。イエスは、自己と隣人は別のではなくつながっていると説いた。ここにも普遍性がある。

「愛されたいと思っている自分と同じく、隣人もそう思っている。だから互いに愛せよ」。あるいは「自分が嫌だと思うことは隣人もそう思っている。だからするなよ」と。自分を愛することと隣人を愛するということは一つのこと。

しかし、この普遍性を断ち切ることで戦争は可能になる。

隣人の上に核兵器を落とせるのは、自分と隣人が分断された結果である。自分と他人という普遍性を失った者が核のボタンに手をかける。

すべての人間はつながっている。「日常」という普遍性を持っているのだ。あの地層に七十五年前の「日常」を見た。だから胸が痛んだ。あの母子は、僕と同じ普遍性、すなわち日常を生きていたからだ。日常は時を超えて私と隣人をつなぐ。

今、日常が壊されようとしている。

戦争が近づいている。日常を今一度確認することで打ち返そうと思う。寅《とら》さんは言う。「お互い貧乏人同士じゃねえかあ。もう少しいたわり合ったらどうだ」。そうだ、僕らはお互いの日常を生きる庶民にすぎない。きっと、わかり合えると信じる。

「無縁社会・孤独社会」が生み出した独特の課題

(2020/02/04 note)

先日、重度の身体障害と知的障害がある重症心身障害者の支援団体「ミットレーベン・ネットワーク」設立五十周年の記念講演で、相模原「津久井やまゆり園」事件についてお話しした。

この社会には(役に立つ)意味のあるいのちとないいのちの分断線が引かれ、彼はその分断線を綱渡りのように生きていたんじゃないか。「自分は生きていていいのか」「役に立つか」と、私たちはみんなおびえているのではないか、と問いかけた。

その講演がこのたび『朝日新聞』の記事になったのだが、今回の新聞の写真を見て、まあ、年を取ったなあと……。

『朝日新聞』と言えば、二〇一一年の震災直前、頼まれてエッセイを書いた。その後、震災が起き、震災バージョンに書き換えたのが、当時の新聞に載った。あれから十年になろうとしている。改めて、「無縁社会・孤独社会」「自己責任」について問いたい。

当時の新聞記事「タイガーマスク現象」に関する所感は、以下のような内容だった。

二〇一〇年のクリスマス、児童養護施設に漫画『タイガーマスク』の主人公「伊達直人《だてなおと》」名でランドセルの贈り物が届いたことが報道されると、各地に同様の寄付が広がった。寄贈された物品は、ランドセルの他にプラモデル、玩具、筆記用具、現金、商品券、食品、紙おむつ、金塊などがあり、年末から2月までで同様の寄付は千件を超えた（タイガーマスク現象）。

二〇一〇年末から相次いだタイガーマスクによる贈り物の一件は、この社会は捨てたものではないという気持ちを私たちに取り戻させてくれた。

その一方で、「無縁社会・孤独社会」が生み出した独特の課題をも突き付けたように思う。

「匿名」で支援物資が贈られたことに二つの意味を見る。

匿名性の保持は、それが名誉欲からの行為ではないことを証《あか》しした。だが同じく、この

「匿名性」が、「直接出会うことを回避するため」だったようにも見えたのだ。自己責任というのは、困窮者に対して語られるのみならず、実は助ける側にものしかかる。このような自己責任の呪縛を解いて、困窮者と支援者が直接的な出会いへと踏み出せる仕組みを、どう作るか。

多くの人が「困窮者を助けたい」と思っている。同時に、「深入りするのは怖い」とも思っている。

正直「出会い」は危険を伴う。ホームレス支援においてもそうだ。裏切られること、嘘《うそ》をつかれることもある。こちらが逃げ出すことも。直接出会うと、「かわいそうな当事者と善意の第三者」という「美しい構図」は崩壊する。生身の人間の出会いとぶつかり合いが起こる。そして、お互い少なからず傷つく。

しかし、この傷こそが、私たちを癒やすのだ。長年支援の現場で確認し続けたことは、絆（きずな）には「傷（きず）」が含まれているという事実だ。誰かが自分のために傷ついてくれる時、自分は生きていていいのだと知る。同様に、自分が傷つくことによって誰かが癒やされるなら、自分の存在意義を見出《みいだ》せる。傷を伴う絆が、自己有用意識を醸成する。

ランドセルを贈ることは容易ではない。費用がかかるし、何よりも勇気がいったと思う。本当にありがたく、あたたかい。だからこそ、タイガーマスクに申し上げたい。できるならば、あと一歩踏み込んで、あと一つ傷を増やしてみませんか、と。

もし子どもが「こんなもの、いらねえ」とランドセルをけとばしたとしたら、どうだろうか。支援現場では、そのようなことがしばしば起こる（今回そんな子どもはいないと思うので、たとえ話として聞いてほしい）。

「なんと不遜な子どもか」と思うだろう。しかし、対人支援というものは、実はそこから始まるのだ。叱ったり、一緒に泣いたり、笑ったり。

なぜ、贈り物をけとばさねばならなかったのか、その子の苦しみを一緒に考え悩む。人間の現実に肉迫せねばならない。だから傷つく。しかし、それがどんなに恵みに満ちた日々であったことか。「匿名」では、この恵みには与《あずか》れない。

私たちの前には二つの道がある。傷つくことを恐れ、出会いを避けるか、傷ついても倒れない仕組みを作るか。

自己責任論社会は、困窮状態に陥った原因も、そこから脱することも、本人の責任だと言い切る。「自己責任だ」と言えば、社会や周囲は「助けなくていい」ということになってしまった。自己責任論は、社会が無責任であることを肯定した。

私たちは「自分の安心安全」を確保するために「あなたの自己責任だ」と言い放ち、困窮者との出会いを避けてきた。誰かのために傷つくことがなくなり、それで「安全」を手に入れたと思ったが、実は、無縁化し一層危険で寂しい状態に陥った。

人間が本当の意味で自己責任を果たすには、周囲の支援、あるべき社会保障など、社会の側の責任が果たされることが前提とならねばならない。

ホームレスの人に「自己責任だから、ハローワークに行って働け」と言っても始まらない。登録する住所すらないからだ。ならば、社会の側が「住居は準備しよう。ごはんも食べてください」と支援したうえで、「これでハローワークに行かないのなら、それはあなたの責任だ」と迫る（そもそもハローワークに仕事があるかは別問題だが）。

結果、北九州では三千五百人が自立を果たした。自分で人生の選択ができ、その選択に責任を持てること、それは人間の尊厳には欠かせない。自己責任を果たせるための社会的責任が問われている。

傷つくことの大切さを知りつつも、それを独りぼっちで負うことは困難だ。困窮者支援は、実のところ「一人じゃ、つぶれる」ことを知っている弱い人たちが、それでも「何かやってみよう」と集まり、チームを作ることで成り立っている。いわば「人が健全に傷つくための仕組み」なのだ。

国によって犠牲的精神が吹聴された歴史を思い起こしつつも、他者を生かし自分を生かすための傷が必要であることを、今日確認したい。

私たち自身、長年の路上の支援で随分傷ついた。でも、「傷ついてもいいのだ」と言いながら私たちは歩んできた。「絆は傷を含む」。そのために「仕組み」も作った。しんどいが、豊かな日々だった。

匿名のタイガーマスクは、本来「絆とは傷つくという恵み」であり、出会うためには「健全に傷つくための仕組み」が必要であるという宿題を、無縁の時代に生きる私たちに残したのではないか。

世界を優しくする力——新型コロナが広がる日々の中で

(2020/02/15 note)

夕暮れ時のホームには人があふれていた。

人々は押し合いへし合い電車を待っている。僕の前には黒いジャンパーに大きなリュックを背負った若者。彼は、なぜか左右に体をゆすっていた。リュックが後ろにいる僕にぶつかる。本人は気にしていないのか、やめる気配はなさそうだ。リュックのチャックは半開き。

「だらしのないやつだなあ。混雑したホームで何を踊っている。音楽でも聴いているのか。ほんとに……」と思うが、注意する勇気は僕にはなく、我慢した。右へ左へ彼は踊り続けた。ついにリュックが僕の携帯とぶつかり、ホームに転がる。気がつかないのか、謝りもせず、彼は踊り続ける。「このやろう」と、心の中で声が漏れる。

そこへ電車が到着。人々が動き出す。今がチャンス！　どんな顔をしているか見てやろう。

「あっ！」なんと、彼は胸に赤ちゃんを抱っこしていた。

踊っていたのではない、「あやしていた」のだ。胸に抱かれた子どもはすやすやと眠っている。リュックの口からは、よだれかけが見えた。

「ごめん。何にも知らずに。子育て頑張れ」と、やはり心中でつぶやく。

「自分勝手な若者」は、子どもをあやす優しい父だった。

だが、そうならば、「なぜ彼は一人なのだろう。この子のお母さんはどうしたんだろう。子どもを連れて実家に戻る途中か？　なんで実家に戻る？　こんな平日に子どもを連れて電車に乗る。仕事はどうした？　離婚を機に故郷に帰り再出発か」。僕の想像は膨らんでいく。「随分若いが、息子と同じぐらいか。これから彼はどうするんだろうか」、心配になってきた。

だが、考えてみると、そもそもこの青年がその子の父親かわからない。するとまたぞろ想像が膨らむ。「姉の子どもだったりして。待てよ、となると姉さんはどうしたんだ？　まさか、この子を置いて亡くなった。いやいや……」。

電車に揺られながら僕は延々と想像し続ける。すると彼はもはや他人とは思えなくなった。

「自分勝手な若者」も「子育てに懸命な若き父親」も、そして「姉の子どもを預かる優しい弟」も、単なる僕の想像でしかない。事実はわからない。だが、人には想像する力が備えられている。それをどう使うかが重要だ。

想像することで人は攻撃的にもなり、優しくもなれる。できれば「優しく想像」したい。人は、想像することで自分の中に他人を住まわせることができる。するとその人は「他人」ではなくなる。

現代人は、他人とは関わらないように努力している。なるべく見ないように、考えないようにする。その結果「優しさ」を失《な》くすことさえある。事実かどうかはどうでもいいのだ。大切なのは想像する力だ。しかも「優しく想像する力」なのだ。

コロナウイルスで世界は疑心暗鬼になっている。根拠なき「恐怖」は悪《あ》しき想像力から来る。「中国人は危ない」は悪しき想像にすぎない。そうではなく「思いがけず病気になったその人の気持ち」を想像しよう。少しは優しい気持ちになれる。想像力。それは世界を優しくする力なのだ。

問題解決も自己実現も、すべては「出会い」から

(2020/02/23 note)

抱樸《ほうぼく》は「ひとりとの出会い」を大切にしてきた。

福祉制度が縦割りとなっていく中で「人を属性で見ない」という在り方を求め続けた。つまり、「ひとりの人との出会い」から、必要な仕組みを作ってきた。結果、子ども支援、家族支援、更生支援、障害福祉、介護事業、もちろん居住支援など、抱樸は、二十七の事業を実施している。

ＮＰＯの多くが「専門分野」を明確に持っている。「子ども支援のＮＰＯ」や「就労支援のＮＰＯ」、あるいは「ひとり親支援のＮＰＯ」など、ホームページを見ると、その団体が何をやっているのか一目でわかる。

正直、抱樸はわかりにくい。こういう在り方は、なかなか理解されず、いまだ「ホームレス支援のＮＰＯ」と紹介されることも多い。

今、抱樸の新しいホームページ作りが進んでいる。

その中で私たちが最も悩んだのは、「抱樸の活動を一言で言うと何か」ということだった。確かにホームレス支援から始まったのだが、そもそも「ホームレス」という人はいない。「奥田さん」とか、「山田さん」という名前のある個人がいるだけだ。その個人の中に、家がない、お金がない、障害があるなど様々な困難が混在していた。当然、個々人が抱える困難は、種類も重さもまちまちだった。

だから、「ホームレス支援」と言っても、名前のある個人に対する「個別支援」が実情だった。かと言って、ホームページに「個別支援のNPO」と書いてもわからないし……。「その人支援のNPO」「人間に対する支援のNPO」「何でも支援のNPO」……。どれもピンと来ない。困った。

「障害福祉の父」と呼ばれた糸賀《いとが》一雄《かずお》さんは、「生産とは自己実現である」と言った。生産とは、お金や物を作り出すことに限定されて語られることが多い。しかし、そもそも人間にとって生産とは、その人がその人として生きることであり、生産性の高い社会とは、その人に与えられている力や個性が十分に発揮される社会だと糸賀さんは言いたいのだと思う。抱

Memo

トピック

糸賀一雄〈いとが かずお：一九一四―一九六八〉

鳥取県生まれ。京都大学哲学科卒業。滋賀県庁に奉職し秘書課長などを歴任後、一九四六年、知的障害児施設「近江学園」を創設、園長となる。以来、西日本で最初の重症心身障害児施設「びわこ学園」を設立するなど、多くの施設建設を手がけるとともに、中央児童福祉審議会・精神薄弱者福祉審議会の委員や全日本精神薄弱者育成会（手をつなぐ親の会）の理事として、国の制度づくりにも尽力。また、障害の早期発見・対応のための検診システムの確立、指導者養成など、障害者福祉の基礎づくりに多大な業績を残している。

主著に『この子らを世の光に』（柏樹社、一九六五）、『愛と共感の教育――精薄児の父糸賀一雄講話集』（柏樹新書、一九七二）、『勉強のない国』（編書、国土社、一九五四）、『精神薄弱児の職業教育』（光風出版、一九五五）、『精薄児の実態と課題』（関書院、一九五六）、『福祉の思想』（ＮＨＫブックス、一九六八）などがある。

※略歴は主に糸賀一雄記念財団のホームページによる

様が目指していたのも、まさに「その人がその人として、その人らしく生きること」であった。

ちなみに私は、第十九回糸賀一雄記念賞を受賞している（公益財団法人糸賀一雄記念財団ホームページ http://www.itogazaidan.jp/date/）。

「この子らを世の光に」と語る糸賀さんの言葉に身が引き締まる思いでいただいた。糸賀さんは五十四歳で他界している。私は五十四歳でこの賞をいただいた。

同じ年で糸賀さんがなした偉業と、若くして旅立った無念さを思いつつ授賞式に臨んだ。

だが、今日の社会においては、「生産性の有無」が「経済（お金）」に特化して捉えられ、「生産性が低い」とみなされた途端に存在が否定される事態（相模原事件等）も生じている。

抱樸が大切にしてきた「その人らしく生きることへの支援」は、糸賀さんが言う「自己実現」であり、歪《ゆが》んだ「経済的生産性第一主義」に対する抵抗（カウンターカルチャー）だったと思う。


「自己実現」には欠かせないものがある。それは「出会い」だ。「自分探し」が流行《はや》ったことがあるが、人は独りぼっちでは自分を見出《みいだ》すことなどできない。あるいは修行僧ならば、それも可能かも知れない。しかし、私のような凡人には無理で、どうしても「他者」が必要だった。人は孤立状態では、自らの困窮にさえ気づけない。自分に与えられた賜物《たまもの》を見出すこともままならない。

とにもかくにも、「ひとりにしない」「ひとりにならない」ことが「自己実現」には必要だ。問題解決も自己実現も、すべては「出会い」から始まる。

新しいホームページのタイトルは、

「『ひとりにしない』という支援――NPO法人ほうぼく - 抱樸」となった。

さて、わかりやすいか？　もうすぐお披露目となる。多くの人にご覧いただきたい。

最後まで残るもの――九右衛門、長兵衛を訪ねる

（2020/03/29 note）

年を取るとはどういうことか。

私の場合、目が見えにくくなったこと、つまり老眼鏡が手放せなくなった時、「ああ、年取ったなあ」と実感した。ちなみに皆さんお気づきの「頭の毛」の方は、実は大学生の時に「すでにそれは始まっていた」ので、逆に「よく持ちこたえている」と、年は感じない。年を取ると得るよりも失うことが多くなる。そんな日常を生きることになる。

福田九右衛門《ふくだきゅうえもん》さん（八十八歳）と出会って十数年になる。

実は、九右衛門さんは、ここ数か月落ち着かない様子だった。気がつくと抱樸館《ほうぼくかん》を抜け出し、皆で大捜索の事態となる。

えらいもので、北九州市は百万人の大都市にもかかわらず、抱樸のスタッフは九右衛門さんを見つけ出す。先日は、生笑《いきわら》一座の公演を終えて夜も更けた小倉駅の改札を出たところで、九右衛門さんと鉢合わせになった。「何してるの」と尋ねると、九右衛門さんはばつが悪そうに「広島に行こうと思って」とおっしゃった。幸か不幸か、切符の買い方がわからず立ち往生しているところに出くわしたのだ。その後も続いた「失踪」も、やはり「広島に行きたい」が理由だった。

なんで広島なのか。事情を訊《き》くと友達がいるとのこと。名前は長兵衛《ちょうべえ》さん。かつて九右衛門さんは、長兵衛さんの家に住み、そこから仕事に通っていた。どうしても、もう一度会いたいと九右衛門さんは言う。「よし、わかった。一緒に行ってみよう」ということになり、三月二十七日、九右衛門が長兵衛を訪ねるという時代劇のような旅をすることとなった。

朝八時に抱樸館を出発。小倉駅から広島に向かう。

手がかりは、①広島市内、②路面電車の左側の窓から見える二階建てのアパート、③近くにパチンコ屋があった、の三つ。探してみてだめだったら諦めるという条件付きの捜索が始まった。当日は大雨。広島駅から、ともかく路面電車に乗る。「左・アパート・パチンコ屋、左・アパート・パチンコ屋……」と念仏のように唱えながら車窓を眺める。

そもそも九右衛門さんが広島にいたのは、三十年ぐらい前のことらしく、街の様子も変わっている。ご本人は「わからんなあ」とつぶやきつつも、車窓からの風景を追っておられた。昼過ぎ。ついに本人から「諦める」宣言が出た。駅で広島風お好み焼きを食べ、帰路についた。「どうやった」と訊くと「電車に乗れて楽しかった」とのこと。まあ、いいか。

年を取ってもなくならないものがある。それは人との関係だ。記憶は曖昧になりつつも、つながりそのものは老化しない。抱樸は、そんな「なくならないもの」を大事にしてきた。八十八歳の九右衛門さんが長兵衛さんとの再会を求めた姿に僕は感動する。結局、人生何が大切かを教えてもらった気がした。

残念ながら長兵衛さんとは会えなかった。

そもそもご存命かもわからない。九右衛門さんには、「いずれ必ず会う日が来るよ」と話しておいた。僕らは、最後同じところに行く。天国に。そこでつながったすべての人と再会することになる。死ぬとお金は無意味になるが、「つながり」はなくならない。死んでもつながりはなくならないのだ。抱樸が目指す伴走型支援はつながりを創ることを目指している。一番大切でなくならないものを得るための支援だ。

聖書は、「いつまでも存続するものは、信仰と希望と愛と、この三つである」(「コリント人への第一の手紙」第十三章第十三節)と言う。信仰も希望も愛も、ほかならぬ「つながり」の中で見出《みいだ》すことができる事柄なのである。

俺は人間か——自問自答してはいけない問いを抱えて

(2020/05/28 note)

「エサ取り」は、路上の人々がよく口にする言葉だ。親父《おやじ》さんたちは確保した残飯や廃棄された食物をエサと呼ぶ。七年間の野宿生活を終えアパートに入ったKさんは「私は今日、人間に戻りました」とおっしゃった。「昨日までの私は、道端でゴミを漁《あさ》っている犬とか、猫、あれですよ、あれ」と、彼は言うのだ。

「エサ」という言葉の奥には、「俺は人間なのか」という絶望的な問いがある。単なる「食」の問題ではない。犬や猫のように生きてきた。自分は果たして人間なのか。そんな存在の不安がこの問いを裏づけている。

路上で暮らす多くの人々が、この問いに対する答えを見出《みいだ》せないまま苦しんでいる。公衆の面前で眠り、ゴミ箱を漁り、排泄《はいせつ》をする。野宿生活は、住、職、食、金がないという深刻な事態であるが、それ以上に深刻なのは、人間性をそぎ落とされるということにほかならない。

闇の中から「俺は人間か」と自問する声が聞こえる。夜間パトロールは三十二年間休まず続いている。餓死する野宿者はほとんどいない。残飯であろうが、何かと食べていけるのが今の日本だ。だからこそ、配られる弁当には「食事」以上の意味がある。それは、「エサ」を口にせざるを得ない人々が自問する「俺は人間か」に対する答えなのだ。「あなたは間違いなく人間だ。誰が何と言おうとこれはエサではない。これはあなたのために用意されたお弁当なのだ」。そう答え続けるために私たちはお弁当を配り続ける。コロナが心配であっても、問いに答え続けることはやめられない。抱樸《ほうぼく》の炊き出しが中止できない理由である。

だがこの問いは、実は僕自身をも問う。そして「社会」も問われている。路上の人々を犬猫扱いし、排除した側も問われているのだ。「『あなたは人間だ』と答えるお前は人間か」と、お弁当を配る側も問われる。私たちは、この問いの答えをどうやって得ることができるのか。

答えは他者から聴くしかない。自答してはいけない。私が路上の人々を訪ね歩く意味はそこにある。「俺は人間か」と自問しつつ、弁当片手に「答え」を求めて夜の街を歩くのだ。そして、親父さんたちとのやり取りの中で、お互いが人間であったことをようやく確認できるのだ。

僕は、自分が人間であることを確認するために、これからも路上の人々を訪ね続けると思う。

臭いと出会い
――おいそれと「新しい生活様式」には行けない僕と抱樸と

（2020/06/19 note）

コロナ状況の中、テレワークをはじめ、ある意味「苦肉の策」として選び取った「手法」が「新しい生活様式」として定着しつつある。私の場合も、あの忙しかった日々は過去となり、ここ数か月は自宅にこもり、やれネット会議だ、ネット講演会だ、さらにネット取材だと「新しい生活様式」に半ば強制的に移行させられている。私が「アナログな古い人間」なのだろう。正直違和感は拭えない。

そもそもそんなに素早く「新しく」はなれない。ネット会議が終わる。「退出」というボタンを押す。目の前の人はいなくなり、僕はそのまま椅子に残される。「退出」などしていないのだが。そして、すぐさま次のネット会議が始まる。極めて効率化した会議システムによって、従来のダラダラした会議は短時間で終わるようになった。良かったかも知れないが、僕には実に窮屈に感じられる。そこには「オン」しかない。「オフ」が欲しい。「無駄」と言うか、「遊び」が欲しい。あああ、それと会議終了後の「オフ」もなくなった。これも寂しい。これまでは、二時間の会議の後、三時間飲んでいるということもしばしばで、この一見「どうでも良い」と思われる時間が、僕には結構重要だったと今頃気づく。

ネットで取材を受ける。ＰＣに映し出される僕は胸から上だけ。取材の途中、「僕が今ズボンをはいていないのをご存じないでしょう」と冗談をかます。それが事実だとしても何ら支障はない。見えないところはないのと同じだからだ。

これまで具体的、肉体的に出会ってきた僕にとって、このコミュニケーションに慣れるには、相当時間がかかると思われる。それは、「慣れない」ということのみならず、このコミュニケーションに対する「疑念」が払拭されないからだ。果たして僕は、この画面の人と出会っていると言えるのか。それに確信が持てないのだ。

ホームレス支援の現場は「臭い」に満ちていた。長らくお風呂に入れなかった人、なかには「しかぶっている人」（「しかぶる」は北九州などの方言でお漏らしすること）もいた。酒の臭い、汗の臭いが折り重なって「野宿臭」となる。道を行くと「野宿臭」がどこからともなくする。「いる。近くにおられる」と勘づき、捜すと暗闇にたたずむ人を発見する。ブルーシートのテント小屋の中で亡くなった人。しばらく発見されなかったので腐敗が進む。人が亡くなると凄《すさ》まじい臭いとなる。一度それを嗅ぐと、数か月、数年、臭いは記憶となって残り続ける。そうやって僕らは、出会い、その出会いに対する「責任」を自らに課してきた。そんな僕らにとって、ネットに対する最も大きな違和感は「臭いがない」ということかも知れない。出会った気になれない。そうなると「出会った責任」という、伴走型支援において最も重要な原則が薄れていく。

人、それも臭い付きの人と出会いたいのはやまやまだが、濃厚接触できないこのコロナの時代をどうやって共に生きていくか、どうやって出会っていくか。答えを見出《みいだ》すには、相当の時間が必要だ。残念ながら、僕、および抱樸《ほうぼく》は、おいそれと「新しい生活様式」には行けないように思う。

人は、お金や物だけでは立ち上がれない。生きる意味を与えてくれるのは、他者との出会いなのだ。ステイホームで孤立に拍車がかかるコロナ時代を生きるためには、人との出会い、それも臭いがする人との出会いをどうやって確保するのかは依然として大問題だと思う。

さて、今週も「ネット配信」の時間が近づいた。違和感を持ちつつ、何とか「新しい」にしがみつこうとする僕がいる。

オンライン対談より

コロナ禍を生きる①

(2020/05/19 YouTube)

今、問われているのは…

奥田　今日はすばらしいゲストをお呼びしております。若松英輔《わかまつえいすけ》さんであります。評論家で、随筆家、詩人であり、東京工業大学のリベラルアーツ研究教育院教授でもあられます。

　実は私、Twitter とか Facebook をやっているんですけども、時々 Twitter の私の投稿に若松英輔という名前の方が、リツイートをしてくださる。実は若松英輔さんは前から存じ上げておりましたが、最初は「よく似た名前の人がいるなぁ」と思っていましたら、ご本人でした（笑）。勇気を出してクラウドファンディングに対する応援依頼のメッセージを出したところ、「応援します」とお返事をいただきました。私はすぐに調子に乗って「対談もしたいんですけど」というお願いをしましたら、これも「わかりました。やりましょう」というお返事をいただき、今日、お時間をとっていただけたということです。

　まずは、若松英輔さん、入ってきていただきたいと思います。よろしくお願いします。

若松　よろしくお願いいたします。

奥田　今日はお忙しい中、ありがとうございます。

若松　こちらこそ、お声がけいただきありがとうございます。

奥田　この対談番組は、抱樸《ほうぼく》のクラウドファンディングの応援企画ですが、単にお金を集めるだけじゃなくて、人とのつながりをどうつくるか、あるいは問題意識や、不安を抱えている方々もおられるその思いをどう共有していくかということを目的としています。テーマは、「コロナ禍を生きる」にさせていただきました。禍《わざわい》ですね。この「禍」って何なのかっていうことなんですが、私たちは、

Memo

対談の相手

若松英輔〈わかまつ えいすけ〉さん

一九六八年新潟県生まれ。慶應義塾大学文学部仏文科卒業。批評家・随筆家。東京工業大学リベラルアーツ研究教育院教授。二〇〇七年「越知保夫とその時代――求道の文学」にて第十四回三田文学新人賞、二〇一六年「叡知《えいち》の詩学――小林秀雄と井筒俊彦」にて第二回西脇順三郎学術賞、二〇一八年『見えない涙』にて第三十三回詩歌文学館賞、二〇一八年『小林秀雄――美しい花』にて第十六回角川財団学芸賞、二〇一九年同書にて第十六回蓮如《れんにょ》賞を受賞。著書はほかに『魂にふれる――大震災と、生きている死者』（トランスビュー、二〇一二）、『生きる哲学』（文春新書、二〇一四）、『霊性の哲学』（角川選書、二〇一五）、『悲しみの秘義』（ナナロク社、二〇一五／文春文庫、二〇一九）、『イエス伝』（中央公論新社、二〇一五）、『内村鑑三――悲しみの使徒』（岩波新書、二〇一八）、『霧の彼方 須賀敦子』（集英社、二〇二〇）、『弱さのちから』（亜紀書房、二〇二〇）、『14歳の教室――どう読みどう生きるか』（NHK出版、二〇二〇）など多数。

今、どんな禍を受けているのでしょうか。

　新型コロナウイルス感染症は経験がない病気ですし、ワクチンの開発も治療法もまだ時間がかかる。皆が、感染者数の増加に戦戦兢兢《きょうきょう》としています。うつしたくないし、うつりたくないと皆が思っています。福岡は先日緊急事態宣言が解除されまして、少し街の様子が戻り始めていますが、第二波、第三波がいつ来るのかという不安も広がっています。東京はまだまだ大変だと思います。

　多くの人々があの日に戻りたいと思っています。あの日常をもう一回取り戻したいと考えていらっしゃるだろうと。「コロナ禍とは何？」って考える中で、正直、あの日にはもう戻れないと思います。これはコロナが終息しないっていう意味ではなく、「あの日に戻ってどうなるのか」という、そんな思いです。今回も含め、大きな災害っていうのは、結局、その災害自体の苦しみも大きいですが、災害の中で起こっているのはそれだけではありません。つまり、災害以前から社会の中に存在した矛盾とか、社会の脆弱性《ぜいじゃく》のようなものが一気に拡大して噴出する。それが「コロナ禍」でもあると思います。「新型ウイルス」と言われると「新しい未知の世界」にいるようですが、一方で、実は過去を見ているのではないか。今まであった問題がより明確に、しかも非常に身近なところで起こっているようにも思うんです。そうなると、「過去」に戻っていいんだろうか。これは何か新しい社会、次のステージへの入り口なんじゃないか。私たちは戻るんじゃなくって、行くんじゃないか、そんなふうな思いがあります。コロナ禍は、ウイルスによる新しい苦難と、私たちの社会がすでに抱えていた苦難や矛盾をもって捉えるべきだと思います。

ホームレスの支援とか困窮者の支援をしていると、「社会復帰を支援している」とよく言われるんです。けど、正直思うのは「復帰したい社会か」ということ。その社会や地域が、ホームレスの人を生み出しているとしたら、そこに戻したとしても同じではないか。そうすると必然的に、ポストコロナ社会をどうするかを考えざるを得ない。我慢しているだけじゃなくて、一歩踏み出さなきゃならないんじゃないか。そんな思いで、今日この「コロナ禍を生きる」っていうテーマにさせていただきました。いかがでしょうか。

若松　まず、昨今の世の中の在り方についてですが、「ポストコロナ」という言葉を最近よく聞きます。コロナ危機後、というほどの意味ですが、それを考えるにはまだ早い。まだ私たちはコロナ危機の本当の厳しい段階を通過していないと思うのです。世の中は、いつも事態を先取りたがります。まだ、コロナの危機の渦中にいるのに、「ポストコロナ」だと言う。ジャーナリズムを中心に、まだ終えていない宿題をあたかも終えたかのように世の中が動いていく。そうした動きにだけはストップをかけておきたいという思いが強くあります。

今、私たちがやらなくてはならないのは、次の段階への準備ではないでしょうか。緊急事態宣言が解除され、事態の深刻化が懸念される冬に向けて、少し時間を与えられるのだろうと思うのですが、この期間をどう過ごすかが問題だと思うのです。さらに言えば、未来から試されている、とも言える。緊張から解放され、今の時間を謳歌《おうか》するのも良いのかも知れませんが、来る日のための準備を欠くこともできません。そして、何を準備するかだけでなく、誰のために準備をするのかも真剣に考えなくてはならない。自分と自分の家族のために準備をするのも良いのですが、それとは異なる準備もできるはずです。

自分を含んだ親族のための準備ではなく、「隣人」のための準備と言っても良いかも知れません。私たちにとって「隣人」とは誰かということも改めて考えを深めていかなくてはならない。

今、私たちは何をするのかを選べるわけです。まず、緊急事態宣言の解除まで、おそらくあと十日ほどの時間がある。この時間を、これからの数か月間を私たちは誰のために、どう過ごすことができるのかを考えるのに費やしたいと思うのです。

見えないものを見る

奥田　確かにそうですね。「次行ってみよう」という単純なもんではありませんね。聖書の「ヨハネによる福音書」に「光はやみの中に輝いている」という一言があります。この光の捉え方は独特で、「闇が通り過ぎて光が来た」とか、「我慢したらもうすぐ光が来る」とか、あるいは「明けない夜はない」という捉え方ではありません。闇の中に光があるのなら、私たちは闇の中にとどまらなければならない。そうでないと光は見えないと言っているんと思います。そういう意味で、過去も含めて、この社会とは何だったのか、麗しい、懐かしいと僕らが思いたいところの社会とは何だったのかを見つめ考えなければならない。簡単に新しいものが生まれるとは、言えないんだろうと思います。

若松　今までは、見なければならないはずのものを見ないままでも、やってこられた。見るだけではありません。耳に入ることも同じです。しかし、これからは異なる道も選べる。目に入ったものを見なかったことにしないということはできるんだと思うんです。今日も、ベトナム人の留学生がとても苦労しているというニュースが流れてきました。広く難民問題を考えている人は多くいます。しかし、こんな近くに、こんなに困っている人がいる、という現実がかえって見えない。

　弱い人というのは、常に視界の外にいるものです。どんなに気をつけているつもりでもそうなる。私たちは単に視野を広げるだけでなく、自分の立ち位置を変えなくてはならないと思うのです。

奥田　なるほど。私たち、今回ある意味、強制的な変化を強いられたわけですよね。ライフスタイルも含めて。で、これもキリスト教的な発想ですけども、悔い改めは、聖書では「メタノイア」というギリシャ語が使われています。「メタノイア」は、悔い改めと訳されますが、それは単に「反省する」というような言葉ではなく、「方向転換」を意味します。立ち位置を変える、もしくはポジションを変えるということだと思います。同じところで何度反省してみても同じものしか見えません。

　同じところに立って同じ視点で生きる限り、反省しても結局見えないものがあり続ける。現に人間の視野っていうのは、盲点というのがあって、ある一定の角度から飛んでくるボールは、見えないですよね。じゃあ、そのボールをどうやったら見抜くことができるか、飛んでくる危機をどうやったら察知できるか。自分が、一歩か二歩か、前か後ろに行きゃあいいだけの話で。

　今回のコロナっていうのは、ある意味強制的に、変化させられた出来事だったと思います。今まで見ないで済んできた人たち、つまり盲点の中にいた人々や問題が、非常に明確に現れてくるっていう。今回、多かれ少なかれ、それが始まっていると思います。

　そんな中、私たちは、「自分のことしか考えられない」という思いと、一方で「他人事じゃねえな」っていう当事者意識とを、同時に今持っているのではないか。いずれにしても社会の仕組みがすでに変わったわけではありませんが、若松さんがおっしゃったように、見えないものが見え始めているように思います。そこを一歩踏み込んで見ようとするんだったら、さらにポジションを移さないといけないと思うんですね。

若松　今、おっしゃってくださった「ポジション」は、日本語で言うと「視座」です。私たちが変えなくてはならないのは、視野の広さではなく、自分の「ポジション」である「視座」そのものです。インターネットを使えばいくらでも視野は広がる。情報や知識もどんどん入ってくる。しかし、それでは限界がある。視野が広がれば選択の幅は広がってくる。でも、世界観がそのままですから、何を選ぶのかは変わっていません。立ち位置そのものの変革、世界観の変革が求められていると思うのです。

「あたま」だけで考えているとたくさんの人を助けなければ意味がない。百人の人を助けるのであれば意味もあるが、一人では世の中を変えることができず、意味も希薄だ。そんな考えがどこかにあるように感じます。しかし、世にたった一つの「いのち」という世界観から見ると、その一つに働きかけることは絶対的な意味を持つわけです。

「いのち」は、生物学的な生命と同じではありません。それをも生かす働きです。そして、「いのち」は数量化されることを拒む。「いのち」はつねに唯一のものなのです。そして、何より「いのち」は、目に見えず、手に触れることができないものです。今、生命的視座から「いのち」の視座への変換が求められていると思うのです。

奥田　まさにそうですね。視座を変えないままで、知識ばかり増えていって、何も出会ってないんですね、正直。

視座を変える

奥田　では、視座を変えていくには何が必要だと思われますか。

若松　今、私は一人で暮らしています。しかし、緊急事態宣言下の日々、私は自分の中に「弱い人」を招き入れてみようと思ったのです。自分自身がすでに弱いのですが、そんな自分から見ても、もっと「弱い」人です。相当気をつけないと、その弱い人を傷つけてしまいます。そうすることで、これまでとは全く異なる世界が見えてきました。私は、「視座」を変えてみたいと思ったのです。

そして、ある日、私はこの「弱い人」のケアをしていたのではなく、この人に、それまで知らなかった世界の深みを教えてもらっていたことに気がつきました。教師とは、優れた、いつも落ち着いた人ばかりがなるのではない。やはり「視座」は変え得ることを教えてくれる人だと思います。そうなると、世の中にいる「弱い人」たちも、どこか「教師」のように見えてくるのです。

奥田　ホームレスをはじめ困窮者支援という私たちの現場も、決して余裕のある人が弱くて困っている人を助けるっていうことではなかったと言えます。今おっしゃったことは、ほんとその通りだと思います。僕は、そういう立場に追いやられた人たちの中に、認識論的な特権性みたいなものがあって、僕みたいな都合良く、調子良く生きてきたような人間には決してわからない事実を見ておられるということを感じることがあります。同じ立場に立てばひょっとして僕にも見えるかも知れないけども、残念ながらそうはなかなかならない。そうなると、その人から学ぶしかないと思います。

東日本大震災の時、私は九州でしたから「東北に九州の元気を届けよう！」というスローガンが掲げられました。私は、震災直後に東北に入って、引き裂かれるようにして人が死んで、生きる姿を見ました。残った人たちも、サバイバーズ・ギルド状態です。公益財団法人を立ち上げ、現在も東北各地で財団のスタッフが活動しています。法人のメールアドレスは、「フロムイースト」となっています。あの時、日本中は「東へ」「トゥイースト」だったと思います。「東へ元気を届けよう」

「東へ、物資を届けよう」っていう。だけど、僕は正直、現地に入っていろんな人の話を聞く中で、いや、そうじゃない、日本を変革するとするならば、ここから、すなわち被災地である「東から出てくる言葉」だろうと思いました。あの、悲惨は、ここから新しいいのちが生まれる呻《うめ》きだったんだと考えました。

若松　同感ですね。

奥田　残念ながら、あれから九年が経《た》って、日本は変わっただろうか。やっぱりどっか対象化して、かわいそうな人を助けようってやり続けている。その結果が、このコロナに引き継がれてしまっているように思います。

もう一つ。今、若松さんは、その人と一緒に暮らしている。この事実です。コロナ状況下の関係は、インターネットに置き換わっていきました。オンラインの一番の違和感は臭いがしないってことです。私の息子が本に書いていましたが、朝起きたら、全然知らないおじさんが座っている、「はい、今日から家族増えます」みたいな世界で息子たちは育ちました。食べたり飲んだり、当然排《はい》泄《せつ》もする。そういうリアルを共有するというのは、逃げられない場面なんですよね。当然、みんなが皆、そんなことできないわけです。だから、心の中に他者を住まわせるってことが、まず大事なんですが、一方で、若松さんのように一緒に暮らすということは、これはもう大変だけど大事ですよね。テレワークが広がる中で、あえて、一緒に暮らす。これは、とってもいいなあと言いたい気持ちになります。

若松　奥田さんは「ハウス」と「ホーム」が違うというお話をよくしてくださいます。「ハウス」は一度建ってしまったら、そう簡単には大きくできません。しかし、「ホーム」は違います。「ホーム」

は、広げることも深めることもできる。今、私たちはいかに「ホーム」を変革するかという挑戦をしているのではないかと思うことがあります。私の住まいは東京です。しかし、NPO法人抱樸の活動を知ってから私は、自分の中で他人事とは思えなくなった。北九州がゆるやかに「ホーム」になりつつあるとも言えると思うのです。

東京でホームレス支援を行っている稲葉剛《いなばつよし》さんと親しくしていただいていて、彼と一緒に夜回りをしたことがあるのです。私はそこでとても不甲斐《ふがい》ない経験をした。ホームレスの方に食料を手渡すのですが、まず、声をかけられない。物をあげるのは簡単なのですが、声が出ないのです。そして、稲葉さんが教えてくれたのですが、高いところから見下ろすように話しかけるのはやめてください、と言うのです。それは相当の恐怖感を相手に抱かせることになる。こうしたことはホームレス支援のイロハに違いありません。しかし、現場に立った私は、声が詰まり、体がこわばった。

それからも稲葉さんは、とても良くしてくださって、彼といろんな言葉を交わしているうちに、一人で自分の家の周りを回るようになった。そうなってくると、このあたりまでは何となく、自分の「ホーム」かな、という感じになってくる。それで「この場所に苦しい思いをしている人がいるから、稲葉さん、ちょっと助けてください」というような、お願いをしていたのです。「ホーム」は、「ハウス」よりも大きく動く。これからそれぞれが「ホーム」そのものを変えていくのが良いのではと考えたりもしています。

「ホーム」に不可欠なもの、「他者性」

奥田　今回、奇しくも皆がやらざるを得なかったのは「ステイホーム」だったんですよね。なんで「ステイハウス」ではなく、「ステイホーム」と言ったのか。よく考えたうえでそう言ったのか知りませんが、私たちみたいに三十年間、ハウスとホームは違うって言ってきた者たちからすると、いやまさに大事になのは「ステイホーム」ですよと言いたい。英語の概念からしても、ハウスは、一軒家のことで、建物を指す。しかし、ホームは、自分の存在の基盤であったり、人とのつながりを指す言葉だと思います。ハウスだったら一人暮らしでも「ハウス」ですが、「ホーム」は、関係概念だと思います。その意味で「ステイホーム」と言うのなら、どれだけ他者とつながったかが問われる。しかし、今回の「ステイホーム」は、実は、「ステイハウス」にすぎなかったのではないでしょうか。「ステイハウス」でうつらない、うつさないってことは、なんとかなる。でも「ステイホーム」には、なっていない。それは、本当に「ホーム」ですか。

私の最低限の「ホーム」の条件は、「他者が存在している」ということです。他者がいないとホームではない。なぜかと言うと、他者のない世界は、結局は自己喪失する。

リーマンショックの後、若者たちが路上で寝るようになりました。「大丈夫か」って声をかけるとですね、みんな「大丈夫です」と答えるんですよ。最初は、プライドがそう言わせてるかなと思っていました。「俺はホームレスとは違う」と言いたいんだと。驚いたことに、大丈夫だと言い切る。なぜ、そうなのか。それは、プライドではなく、危機的状況にいるという自覚がないからです。認知障害みたいな状態になっています。自己認知障害。私から見たら崖っぷちに立ってこっち見てる。こちらが大丈夫かって声かけます。彼から見たらまだ世界は広く見える。しばらく横に座り込んで、いろんな話を聞き、僕の意見も述べる。「ところで、君、振り返ってごらん。もう後ろないよ、断崖絶壁だよ」と言った瞬間に、顔が真っ青になって、「助けてもらえませんか」と言い出す。

そこが、ハウスとホームの違いで、ホームレスになると自己認知ができなくなる。それが「孤立」ということです。「孤立状態」は、自分が危機的な状態であるという認識自体が難しくなるので、「助けて」って言うこと自体がなくなります。一種の悪循環が始まるわけですよね。

若松　問われているのは苦しみとは何かという問題です。様々な定義が可能だと思うのですが、苦しみとは、苦しいと言えないことなんだと思うのです。ある意味では悲しみとは、涙が出なくなることだとも言える。もちろん、泣いている人が悲しくないのではありません。あまりに悲しいので涙することすらできない人がいるというのも厳然たる事実です。そして、苦しい人はしばしば、声を上げることがないわけですから、動ける人は、その声を聴く前に動かなくてはならない。声にならない呻きのようなものを感じ取る必要があると思うのです。

また、危機というのは、自分が危機にいることがわからないことが危機なのだと思います。私にもそうした、私なりの人生の過酷な経験があった時に、周りの人は、私をとっても心配していた。しかし、私は大丈夫だと思っていました。しかし現実は、多くの人に支えられていたから、どうにか乗り切ることができた、というのが実情だと思います。

振り返ってみると、私は一年間ほどの記憶があまり鮮明ではないのです。事実、口にする時「あの出来事から八年経ちました」と話すのですが、実は九年経っているのです。危機にいる当人の言葉は、あまりあてにならない。それが危機の本当の恐ろしさだと思います。

奥田　いやあ、全くそうだと思います。日本の社会保障制度自体が、申請主義っていう考え方に立っています。これは、我々みたいな生活困窮者の分野を、ずっとやってきた人間からすると、自己責任論の最たるものと言えます。結局、助けない理由は「本人が助けてって言わなかったから」っていうことになっちゃうんですね。それを自己責任と言う。「なんで早く相談に来なかったの」と。

でも、そもそも、自分の認知ができてない。だから、案外、本人は「大丈夫だ」と思っている。まさに若松さんが、おっしゃった通りなんです。でも、自己責任論の問題は、周りが助けないための理由になるという点です。じゃあ、どうするのか。もう、こっちが勝手にやるしかない。確かに、対話的なやり取りが大事です。しかし、ダイアローグが、民主主義の基本だっていくら言っても、実はいのちの現場においては、出会った者が、決断を迫られるってことがある。一歩間違うとものすごく危険かも知れないし、良かれと思ってやったことが、その人のいのちを危険にさらすことにもなりかねない。だけど「あの人が助けてって言わなかったから助けない」と言い続けるようなことは、私はそろそろやめた方がいいんじゃないかと思います。

こちらが主体の言葉をぶつけることの大切さ

若松　今のお話で思い出すのは台風十九号の時、東京都台東区で起こったホームレスの方が避難所に入るのを拒まれた、という出来事です。私の家の近くに橋があって、そこで寝起きをしている人がいます。台風が来る三日ぐらい前に「台風が来ます。ご存じですか」と声をかけた。その方は知っていました。その時は宿に入って数日過ごせるくらいのお金を手渡しました。これを当日にやっても意味がないわけです。事実、ほとんどの店舗、もちろん、ホテルも閉まっていました。私たちは早すぎるのではないか、と思うくらいに動いて良いのだと思います。先ほども申し上げましたが、今から、冬が到来するまでの間に私たちは何を準備できるのか、それが問題だと思うのです。

奥田　しかも誰のためかっていうのは実証的な問題じゃなくて、何と言うか、信念みたいなもので。

若松　確かにおっしゃる通りですね。

奥田　こっちから踏み込まないと。例えば、希死念慮を持っておられる方と時々路上で出会います。死にたいって言ってる人に、対話的にアプローチし、説得しようとするんだけども一筋縄ではいかない。そんな時、最終的に僕に残された言葉って何かって言うと、それは、私自身の言葉、宣言にも似た言葉です。

「いのちは、どんなに大事か」とか、「あなたが死んだらあなたの家族が悲しむよ」とか、あるいは、「人生はまだ長いからここで諦めたらいかんよ」とか、そういう話じゃどうしても届かない場面がある。それで、最終的に僕が言える最後の言葉は、「俺は嫌や」っていう一言なんですね。「僕は、あなたに死んでほしくない」という宣言。

「お前さんと、今日これだけ、一時間も二時間もしゃべった挙句、明日君が自殺して見つかった。正直言って俺はその日から夜寝れんわ。僕は、それが嫌だ」と。「君は」こうすべきだとか、「人のいのちは」こうだ、とかじゃなくて、出会った僕が発することのできる「責任ある言葉」があるとすると「俺は嫌だ」「君が死ぬことは俺は嫌なんだ」って宣言し続けることだと思います。「ほっといてくれ」って言われます。それでも言うんですね。「ほっとかん！」って。実に勝手に。でも、今、それを皆が言わなくなったのではないか。個人の主体と言うか。それが、今や、政府の主体にも関わっています。生存権に責任を持つ国家の主体として「ほっとかん」と宣言すること。それも重要です。

「俺が、俺が」になると、確かにエゴイスティックになる。「俺様」ということは、人を利用したり、消費してしまうような世界でもある。でも、ホームという関係の構築においては、そういう主体的な言葉がすごく大事だと思います。自己認知ができない孤立状態に置かれている人が、主体的な言葉を発するのは極めて困難です。だったら、出会った側、こちら側の主体の言葉をぶつける。それが重要だと思います。

若松　私たちは手紙を書きます。でも、危機にある人に手紙を書く余裕がない場合はある。だからその場で声をかけなくてはならない。でも、言われた方は、それを熱のある手紙のように受け取ることがあるのだと思うのです。受け取った、姿のない言葉を一人でかみしめるのではないでしょうか。私たちは手紙を受け取る時も、平然としていますが、それを部屋で一人読む時は、様々なものを胸に去来させながら読むわけです。心を込めて手紙を書くように声をかけることはできないか。そんなことを考えています。ですから、こうした時に事務連絡みたいな言葉のかけ方をすると、ちょっと厳しいことになる。

奥田　そうなんですよね。対人援助職でも、なまじいろんな知識や経験があるから、専門職ってすぐに提案しちゃうんだけども、出会ってもいないし、自分自身の思いを語らずして提案してるっていうのは、ひどく危険だと思います。

さっきの認識論的特権とも通じますが、危機的な状態にある人は、物事の本質を見抜く認識論的特権を持っています。同時に、そういう状況に置かれた人は、人の思いを直感的に見抜く力があるように思います。特に、この間出会った若者たち、小さい頃から周囲の大人に傷つけられてきた若者たちは、そういう直感を持っています。たどり着いてから一年、二年、試し行動が続きます。ずっと見てるんですよね。「あの奥田ってのは、調子のいいこと言ってるが、本当か。『こうしたらどうか』なんて言ってるけど、あれ本気か。あれ、ほんとにそう思ってるのか」ってじっと見てますよね。

しかし、見られているという緊張感ではなく、すぐさま「どういう提案ができるか」「どういう支援プランを立てられるか」みたいなところに、逃げる。そうすると、ほとんどうまくいかないですよね。

若松　プランを頭で考えると、小さなことをやっても意味がないように感じられてくる。ある時、マスクは大変に貴重なものでした。でも、マスクを手渡しただけでは何も変わらないという言説は、一見正しいのです。それで世の中は変わらないという言葉も、ある意味で正しい。しかし、私は、世の中を変えようと思ってることの方が間違いなんだと思うんです。

奥田　（笑）その通り。

若松　言い方が少し、きつく聞こえるかも知れませんが、世の中は、そう簡単には変わらない。しかし、世の中が変わらないからこそ、行動する意味があると思うのです。何かをやろうとする時、人はすぐに壮大なことを考える。私たちはもっと現実的でなくてはならない。それは目の前の出来事、目の前の人に誠実を尽くすことです。

　今回の企画にお声がけいただいて、私はとっても光栄だったんです。その理由は、自分の「目の前」というのは九州まで広がるのかという思いがあったからです。支援するのではなく、参画したいと思いました。先ほどの言葉で言えば、自分の「ホーム」のように感じるために一歩を踏み出すことができるのではないかと思ったのです。

奥田　やっぱり、だからホームは、他者性なんだと思うんですよ。他人が何人住んでいるかで決まる。出会うっていうのは、その意味でしんどいですよね。だって、自分のことだけ考えて自分のことだけで生きていたら、その範囲で終わるんだけども、なまじ出会っちゃうと自分だけでは済まない。野宿のおじさんと出会ったら、その日から「あの人どうなってるかな」とか考えてしまう。例えば、おいしいもの食べたら、出会う前は「ああ、おいしかった」で済んでたのに、おじさんと出会った後は「あの人食べてるかな」になっちゃって、自分だけ食べて申し訳ないと思う。別に謝る必要はないんだけども、そんなふうになっちゃう。しかし、それが人間の愛《いと》おしさだし、ホームそのものだと思います。だから、ホームは一方でしんどいですよね。苦しいですよね。だからこそ、楽になりたい一心で……。自分だけの世界に逃げ込む。例のトイレットペーパーがなくなった一件も、あれ、トイレットペーパーがなくなったんじゃなくて、僕らの中にいたはずの他者がいなくなった結果だと思います。「自分さえ良ければいい」と言い切って、トイレットペーパーを買い占めた。これでは、いつまで経っても安心できない。

いざっていう時、助けてくれる人がいるかが一番大事で、トイレットペーパーもお互いにまわせば何とかなるわけで。でも、そっちに行かない。それこそが自分の安全と安心につながると思って、どんどん自分だけの世界にこもっていく。実は、それが真逆で、人間にとって最も危険な状態になる。台風が来たら、「あのおじさん、大丈夫かな」と思ってしまう、それがホームだし、そのホームがないと僕らはホームレスになります。これでは安心して生きれないいんですよね。

受け入れること、諦めること

若松　若い頃は、いろんな思想や考えに基づいた世界をつくります。だから社会を変えるなんて思っちゃうんだと思う。でも、ある年齢から、人は世界をつくるのではなく、受け入れていくんだと思うのです。受け入れることによって、自分の世界が豊かになっていくことを知る。ですから、世界はつくるものではないことを認識する。ただ、受け入れるという時に、自分に好ましいものだけを受け入れると大変なことになります。そこに生まれるのは虚構でしかない。

ここで言う受け入れるというのは、自分の好悪を超えたところに行こうとすることだと言えるかも知れません。きれいとか汚いとかは、その人のある地点での感覚です。私たちは現象を感覚する。その現象の奥に実在がある。その実在が「明《あき》らめ」られると、見た目のきれい、汚いみたいなのから、もう一歩奥に行けるんだと思うんですよ。コロナ危機を経験して、私たちは、そうした世界の在りようも感じ始めているようにも思います。

奥田　なるほどね。似て非なるものかも知れないけど、年取るっていうのもそうですね。

若松　（笑）そうなんです。ほんとそうなんです。

奥田　私、つい最近ぐらいまでは、どこまでもアクセルが踏み込めるかのような感覚で仕事をしていました。でもねえ、この頃は、老眼鏡がないと見えないし。受け入れていくというのは、諦めじゃなくて、なんだかもっと楽になる感じですよね。楽って言うとちょっと語弊があるかも知れないけど。

若松　仏教でいう「諦め」は「明らめ」とも読むわけですよね。何かを諦める、何かを手放すことではなく、何かを明らかにしていくんだってことなんだと思うんです。

奥田　なるほど、明らかにしていく。

若松　今、老眼のお話をなさってくださいましたけど、目には「眼科」の「眼」という文字もある。心眼という言葉もあります。「目」が悪くなってくると、もう一つの「眼」が見えてくるような感じがしています。老眼は近くのものが見えにくくなる。近くのものが見えにくくなるから、その奥にあるものが見えるんだと思うんです。比喩でもなくて、本当にそうなんだと思うんです。そして、見たものを見なかったようにはしない。見たら見たように生きる。そこが問題なのではないでしょうか。

奥田　いや、まさにそうかも知れませんね。これは聖書の言葉なんですが、「『見える』と言い張るところに罪がある」と。我々は、ほんとに一番大事なものを見てこなかったということがあると思います。コロナ状況とは、いったい何が大事だったのかを一から考え直す、「明らめる」ことを迫られた状況なのだと思います。

　不要不急の外出を控えなさいってことになりました。道路には、「福岡県からのお知らせ　不要不急の外出は控えましょう」と表示される。しかし、何が不要で何が不急なのか。逆に、何が必要で何が優先だったのか。私、コロナの前、正直、相当忙しく日々を暮らしていました。カミさんに言わせると月の半分ぐらいいなかった人が毎日家にいる。三食食べている。前まで「あんた、いつ帰るの?」だったのですが、この頃は「あんた、そろそろどっか行かんの？」になっている。

だけどね、そもそも僕は、なんであんなに忙しかったんだろう。本当に必要なことだったのか。本当に急がなければならないことだったのか。ちゃんと「明らめ」なければならない。忙しさというものは、人間に変な安心というか、思考停止的な「やってる感」を与えます。傲慢にもなる。そこにブレーキをかけるのは、こういう外的な事態なのだと思います。自分ではかけられないブレーキをかけてくれる、やっぱり他者性と言えるようなものが必要なのだと思います。こういう関係の中で、必要とは何か、緊急とは何かを問い直さないと、一人でずっと忙しい中にいると大変なことになる。

一人との出会いから冷めない熱によるつながりへ

奥田　さっき若松さんがおっしゃったことで、僕ほんとそうだと思うのは、一人との出会いが大事だっていうことです。ＮＰＯ法人抱樸は、一人との出会いからすべての活動や事業を考えてきました。企業だったら、マーケティング調査して、どういうニーズがあって、どういう事業をしたら、継続性、持続性があるかって考えるんでしょうけど。抱樸は、一人との出会いから始まる。

スタッフは熱い人たちばかりで、感情的になる。しかし、この感情が大事だと考えてきました。支援の専門家になるほど「クライアントとの距離」が問題となり、客観性をどうやって保持するかが問題になります。専門家の皆さんごめんなさい。別に悪口じゃないんだけども。私たちは、専門家の前に一人の人間として出会う。一人の人間にすぎないので、怒りとか悲しみ、悔しさや喜びから自由にならない。ただ、さらに大切なのは、感情を感情で終わらせないということです。感情を仕組みに変える。普遍化すると言いますか。抱樸は、そんなふうに三十二年歩んできました。結果、現在二十七の事業をやっています。もはや、何屋なんだかわからない団体です。

　聖書の中にも、「最も小さくされた人にしたのは、すなわち私（神）にしたことだ」という言葉があります。「最も小さい人」との出会いが、神という普遍的なものとつながっている。こういう出会い方こそが、現代的な倫理の基盤ではないか。そこを欠いて一気に天下国家を語り出すと、非常におかしな話になる。だけど、出会いが、具体的であるほど、お互い傷つくということが起こります。その傷をどう理解し、受容するのか。

若松　インターネットを通じて、人と人が交わるようになって、最も大切だと思うのは熱です。温度という意味ではなくその人の存在の熱量のようなものです。先ほど手紙の熱量を感じるという話をしましたが、これはミヒャエル・エンデが書いた童話『モモ』の一場面にもある話です。エンデは、言葉の本質は熱であることをよく知っていたのだと思います。熱にふれることで、私たちは自分の中に眠っていた熱を呼び起こすことができる。私たちはこの企画に金銭を寄付することもできる。しかし、熱をもってその行動を見つめる、熱意をもって考えるということもできる。

　もう一つ、大切なのは、熱は人と人を本当の意味で「つなぐ」ということです。真のつながりを作るのは熱だということです。インターネットは「交わり」を可能にしますが、「つながり」を生むとは限りません。見た目の「つながり」を生むことには大いに貢献していると思いますが。

　熱が大切だ、という話をすると、でも、熱はいつか冷めるじゃないか、と言う人もいるかも知れません。それは温度です。冷めることのない熱は存在します。むしろ、そうした熱を私たちの中からよみがえらせたいとさえ思います。

弱さの承認、そして祈り

奥田　クラウドファンディング等に参加してくださる方、あるいは困窮支援者やエッセンシャルワーカーさんたち。すごい決意と決断、意志とエネルギーみたいなものを感じます。冷めない熱とは、何なのか。それは、どこから来るのか。よくわかりませんが、僕は、それが弱さとか、自分の持つ弱さの承認のようなことが関連しているのではないかと思います。つまり、強いから熱を持っているというのではなく、冷めない熱とは、弱さとの関連で存在するのではないか、ということです。

今回のクラウドファンディングに参加してくださった方々のうちの少なくない人が、「自分も大変ですが、頑張ってください」というコメントを書いておられる。「かわいそうな人を助けたい」というのではありません。そうじゃなくて、自分も大変だけど、自分の出番と言うか、自分でもできること、参加することで自分自身の居場所を見出した、「ありがとう」というコメントが来ます。

若松　ああ、なるほど。少しわかる気がいたします。

奥田　今、現場で頑張っている支援者たち、特に生活困窮者支援などの相談窓口の人たちを感染から守らねばなりません。今回のクラウドファンディングで、すでに全国百団体以上の困窮者支援の窓口にマスクを届けました。その後、支援付きの住宅提供の仕組みを作ります。現場でぎりぎり頑張っている皆さんに「頑張らんでいいよ」とは言えない。ほんとにありがとうございますとしか言えない。これらの人が熱を持ち続けるにはどうしたらいいか。

「頑張らなくても良い」とは言えないが、しかし、やはり「弱さの承認」のようなことが根底にないと熱は長続きしないと思います。持続する熱は、エンジンをふかしてるガンガン燃え盛るような熱ではないでしょう。それは多分、いずれ絶えると思うんですよね。終わっていく。弱いんだけど、炭火のようにずっと燃えていく熱っていうのは、「弱さの承認」を根底に持っている。自分一人では生きていけない、助けてって言いたいというような……。対人支援のスタッフや学校の先生向けの講演に呼ばれると「最近、助けてって言ってますかー」と尋ねます。相談者や生徒には「助けてって言っていいんだよ」って言っている人に限って、「助けて」って言えない人が多い。助けてって言った時に、若松さんがおっしゃったような、冷めない熱が出始める。そんな気がするんですね。

若松　奥田さんの前でお話しするのは気が引けるのですが、最も熱を持っている行為、人間がこの世で行い得る、最も熱を帯びた行為は、祈りではないかと思っているのです。祈りと願いは違います。願いは自分の思いを神に届けることですが、祈りは超越の声、無音の声を聴くことです。祈りは、自分は弱い者だという地点から始まるのではないでしょうか。祈りを深めるとは、己れの弱さをかみしめることでもある。「私は大丈夫だ」「自分は強い」と思っている人は、あまり祈らないのではないかと思うのです。

奥田　祈らないですよね（笑）。

若松　徹底的に弱くなる。でも不思議なことに、弱さから、尽きることのない熱が湧き起こる、というのが、この世の構造なのではないでしょうか。

奥田　いやあ、ほんとにそう思います。そもそも、宗教者っていうのは、悟りを開いた人でも修行を積んだ人でもなく、神様、仏様に助けてもらわないと生きていけない、ま、降参した連中ですよね。だから、宗教者とか信仰者っていうのは、もうどっかで、その弱さを露呈した人です。そこから初めて希望を見た者たちなんだと思います。宗教も含めて、そこを許さない社会をつくっちゃった。弱音を吐いたら終わるっていう、勝ち組だ、負け組だみたいな競争社会つくっちゃったと。

でも、今後のコロナ後の社会は、頑張っても、強くなれない、できないっていう現実が迫ってくると思います。間違っても、かつての強がりな社会に戻るんじゃなくて、弱さっていうものからどう社会を再構築できるか。あるいは、世界とか、多くの人をではなく、たった一人との出会いの中から社会というものを構想できるかが重要だと思います。小さい者が大きい、もしくは弱い者が強い。これは、ルターの「反対の形」という神学思想ですけど、まさに、死の中にいのちがある、闇の中に光がある。そういう今までとは違う発想が必要だと思います。闇や弱さを抜きに光や強さ、単純な熱を求めるのは危険だと思います。

愛について

若松　これまでお話ししてきて、最も大切なものはやはり「愛」だと思うのです。もちろん、この言葉が現代の日本でどれだけ扱いにくいかを私はよく理解しているつもりです。そのうえで、やはり「愛」だと申し上げたい。愛を生むのは強さではありません。むしろ、弱さです。そして、愛を生むのは、頑強な思想ではなく、無私の祈りです。今、考えているのは「弱さ」「愛」「祈り」の秘義、その秘められた意義なのです。

現代は「愛」をあまりに狭く捉えているのかも知れないと思うこともあります。物や金銭など、持てるものを分かち合うというのも、愛の一つの形ではある。しかし、もっと違う愛がある。それは、いくつか段階を踏んでいかないと、現代にはなかなか捉えづらいのかも知れませんが。

奥田　なるほど、なかなか難しいですね。

若松　もう少し申し上げますと、「愛」とは「私」を捧げるということだと思います。捧げるのが「物」ではなく「私」という存在である時、そこに愛が生まれる。毎日そうしなくても良いのですが、生涯に幾度かそうした契機があっても良いですね。

奥田　本当！　でも、全部やれって言われるとね、それやったらイエス・キリストですよ。死んでしまう。

若松　そうなりますね。一生の間に一、二度でも十分なのではないでしょうか（笑）。

奥田　あの方はね、復活されますからいいけど、私たちはそうはいかない（笑）。だからイエスに従うっていうのは、まさに自分を捧げるっていう道なんだけども、でも一方で、それをやっぱり、十に一つとか、百に一つとか、千に一つとかやっていく。

だから、愛っていうのは、基本、動詞でないとだめなんだと思うんですよね。「愛する」っていうのが愛なんで。「愛とは何か」って言うからわかんなくなっちゃう。

若松　おっしゃる通りだと思います。

奥田　自分を後生大事に握り占めている。ふっと気がついたら手の中には何も残っていない。そんなことがあります。手放すことが、つかむことになっていくっていう。愛っていうのはそんな世界なんじゃないかな。

これも聖書の言葉ですが、「あなたのパンを水の上に投げよ。多くの日の後《のち》、あなたはそれを得る」っていう。後生大事にパン抱えているのではなく、水の上に投げてごらん。後の日に、それを見出し、得るって。私、若い頃からこの言葉が好きで。この最後の一切れを手放したら、終わってしまうと思い込んでいる。だけど、実はそれ手放すと、全然違うものとして後の日に帰ってくる。そういう世界って、あるだろうなと思いますね。

とっても楽しくて、止まらないんですけど、今日はこれぐらいにさせていただきます。若松さん、長時間お付き合いいただき、ありがとうございました。

若松　いえ、こちらこそありがとうございました。とても楽しい時間を過ごさせていただきました。

第4章 生きる意志

「かんじんなもの」――支援の本質とは何か？

(2019/11/12 note)

十年前。リーマンショックの後、次々に若者たちが路上に現れた。夜の路上で「大丈夫ですか」と声をかける。大半の若者が「大丈夫です」と答える。僕から見れば全然「大丈夫」じゃない。なぜ、彼らは「助けて」と言わなかったのか。

第一にプライドがあったと思う。「ホームレスと一緒にされちゃ困る」という思いか。

第二に利用できる制度などに関する知識が少なかったこと。そもそも知らないと人は求めることさえできない。

第三に「極端な自己責任論社会」の影響。「助けてと言っても『何を甘えているんだ。努力が足りない』と言われるだけだ」と彼らは言っていた。「言わない」のではない「言わせない」のだ。

第四に「孤立」。人は自分の状態や生きる意味を「他者」を通じて知る。路上は「他者性」を失った世界だ。僕から見た路上の若者は、誰もが「崖っぷち」に立っていた。でも、本人はわかっていないことが多かった。横に座って話し込む。十分、二十分、三十分……だんだん彼の顔色が変わり「何とかなりますか」と言い出す。それは他者である僕が「君、もう一歩下がると落ちて死ぬよ」と言い続けたからだ。人は、自分の状態を知るために「他者」を必要としている。自己認知は、出会いの中で担保されるが、孤立状態ではそれ自体が難しい。

そして第五に「生きる意欲がない」こと。これが一番大変で、どんな制度があるかも知っている、自己責任論は社会が無責任であり続けるための言い訳にすぎないことも知っている。自分がどのような状態かもわかっている。にもかかわらず「助けて」と言わない。なぜか。「生きる意欲」がないからだ。「その気になれない」からだ。そんな絶望の深淵《しんえん》で冷え切った人の心が、もう一度鼓動を打つためにどうしたらいいのか。困窮者支援の本質はそこにある。かんじんなのは「もう一度生きようと思えるか」であり、「人の心に灯をともすこと」だ。自立はその後の話。数値化することも、お金に換算することもできないのがこの部分。「かんじんなもの」は見えないからだ。しかし、見えなくても「かんじんなもの」はあるし、それこそが支援の目的なのだ。

この間「自立支援」が強調されすぎたように思う。困窮者自立支援制度においては、「就職」と「増収」が支援成果の「目安」とされた。しかし、「かんじんなもの」は見えないのだ。目には見えない「かんじんなもの」を獲得することが支援の本質だと思う。「かんじんなもの」は心で見なければならない。制度も支援者も、この見えないが確かにある「かんじんなもの」を得るために、どれだけ「心」を耕すことができるだろうか。心が置いてきぼりになってはいないか。僕は、大丈夫だろうか。少々心配している。

「助けて」と言えた日が助かった日——生笑一座誕生

(2019/11/20 note)

二〇一三年三月、生笑《いきわら》一座は誕生した。なぜ生笑一座は生まれたのか。
その理由《わけ》について以下に記録することとする。

そもそも生笑とは何か。生笑とは、「生きてさえいればいつかきっと笑える日が来る」という言葉からとった。

二〇一一年三月十一日、東日本大震災が起こった。私自身も直後から支援に関わっていた。
三月末、被災地に入った。

私たちの活動方針は「最も小さくされた人々に偏った支援を行う」という、少々変わったものだった。

この方針の下、最初に入ったのは、石巻市、牡鹿《おじか》半島に点在する小さな漁村集落の一つ、蛤《はまぐり》浜であった。九所帯しかない集落だったが、津波で五軒が流されていた。

最初に出会ったのは区長さんの亀山《かめやま》夫妻。亀山夫妻は、訪れた私たちを歓迎してくださり、九州から届けられていた物資を大変喜んでくださった。


亀山さんは主にカキの養殖をされていた。しかし、今回の津波で船もカキ筏《いかだ》も、いや港自体がなくなっていた。

「私たちは、今回の津波ですべてを失いました」と亀山さんは、涙ながらに話された。こちらが返事に詰まっていると亀山さんは「昨日着いた荷物の中にこんなものがありました」と、絵手紙を見せてくださった。

その絵手紙の中に「生きていればいつか笑える日が来る」という言葉があった。その時……、

「私たちはすべてを失いましたが、今日はこの言葉で生きています」と亀山さんがおっしゃった。

「生笑」は、あの極限状況の中で出会った言葉だった。


その後、震災復興支援とホームレス支援に奔走する日々が続いた。二〇一三年三月。私は、

一つのことを悩んでいた。

随分以前から、小学校や中学校に呼ばれてホームレスに関する授業を行っていたが、ある時から自分の中で、これでいいのかという疑念が広がっていったのだ。

授業でホームレスについて語っている自分は、本当の冬の寒さも知らない、ひもじさも知らない、つまり野宿を経験したことのない人間にすぎない。そんな自分が子どもたちの前でホームレスについて語っている。

自らの言葉の限界を感じていたのだ。

時を同じくして私は、北海道浦河《うらかわ》のべてるの家の活動に出会っていた。

「当事者研究」と呼ばれるその活動は、「自分が自分の専門家」という彼らが生み出した言葉に象徴されるように、精神障害のある当事者が自己を分析し、自分への対応を決めて

Memo

トピック
べてるの家の活動

回復した精神障害者たちの生活と事業の拠点として設けられた「べてるの家」に集う人たちによる活動。浦《うら》河《かわ》赤十字病院精神科を受診する統合失調症等の患者の会「どんぐりの会」がルーツで、就労、生活、ケアを三本柱とした。一九八四年から浦河教会の旧会堂を借り受け、精神障害の当事者と地域の有志が一緒に生活をしながら、日高昆布の産地直送などの起業により就労をかなえるなどしていった。

二〇〇一年から始まった「当事者研究」は、疾患による幻覚や幻聴を特異なものとせず、オープンにして話し合うことで客観視が可能になるなど、徹底して当事者の感覚を尊重する姿勢が特徴で、障害者が自身の研究者になるといった意味合いの名付けも含め、国内外の注目を集めた。

いく。

この当事者主権が持つ原則性と力に圧倒されていた。

子どもたちの前で野宿経験のない自分がホームレスについて語ることは、まさに当事者性においてて問題だった。正直、なんだか嘘《うそ》をついているような気持ちさえしていた。

しかし、一方で、小学生時代にホームレスの現実と触れることの意義は大きい。

特に子どもによるホームレス襲撃事件、あるいは子どもの貧困の現実からしても、この課題が子どもたちにとって大切であることは間違いない。

だから、やめるわけにもいかず悩んでいたのだ。

そこで、ホームレスから自立された当事者の互助組織である「なかまの会」の役員会に出向き、その旨をお伝えした。そして、当事者の言葉が必要だという呼びかけに応じてくださったのが、現在の生笑一座のメンバーである。

二〇一三年四月「おけいこ会」が始まった。

まずは一座結成の目的の整理、何を伝えるのかというテーマ、そしてホームレス生活の実態を知ってもらうにはどうしたら良いのか……。皆で試行錯誤の日々が続いた。

現在では、導入（自己紹介）の後、第一部は質問コーナー、第二部は空き缶集めに関する実演（野宿生活の実態に触れる）、第三部はそれぞれが語るホームレス時代の現実とメッセージ。最後は会場と一体となり『ひょっこりひょうたん島』を歌って踊るという構成となっている。


そして六月。最初の公演が決まった。

県内の公立小学校が呼んでくれることになった。ますます「おけいこ」に力が入る。

公演日が迫ったある日、学校から電話があった。校長がホームレスということで難色を示しているとのこと。担当の先生もあれこれ動いてくださったが、結局公演は中止となった。

「公演中止」。これが生笑一座の船出であった。


八月。私は県の人権教育大会に呼ばれていた。

大会主催者であった福岡県同和教育研究協議会の和多則幸《わだのりゆき》先生が先の事情を知って、私の講演の中で生笑一座を上演しては、とご助言くださり、ついに第一回公演が決定した。会場はアクロス福岡シンフォニーホール。二千人の前での公演となった。口から心臓が飛び出しそうな緊張の中、でも、皆頑張った。

和多先生は、その頃から「おけいこ会」に参加されるようになっていた。どうしたら子どもたちに伝わるかなど、教師として的確なアドバイスをいただいた。この先生は一座の産みの親の一人である。公演の後、以下のメールをいただいた。

知志さま。『生笑一座』の公演デビューとても意義深かったですね。

昨日も今日も、ふとした瞬間、バイオリンの音とともに、頭の中で房野《ふさの》さんの『しゃぼん玉』の歌が聞こえてきます。奥田さんとの出会いが生笑一座のみなさんとの出会いにつながりました。

生笑一座のデビューに向け、参加させていただく中で、たくさんの方に出会うことができました。僕の宝物がたくさんできました。西原《にしはら》さんと病気や入院時の話になりました。ガンの経過をたずねると、とても良好だということで安心しました。時々の検査もあるけど、「みんながついてくれてるから」と、とてもにこやかに答えてくださいました。

ぼくも二〇一一年八月末から半年間の、無菌室での入院生活を思い出し、西原さんの言われたことがよくわかるような気がしました。

ガラス越しの面会ではありましたが、「僕の周りに、こんなに人がいたんだ」と気づけたことは、僕自身のエネルギーにもなりました。二人で歩きながら、「お互い身体に気をつけて、元気に頑張りましょう」と笑顔で励ましあいました。

房野さんや松尾《まつお》さん、松葉《まつば》さんともたくさんお話しすることができ、「生きる」ということや「つながる」ということ、「助けること、助けられること」の意味など、たくさんのことを学ばせていただきました。

教職に就き、「先生」と呼ばれて久しくなりますが、「まだまだだなあ」と恥ずかしくなるばかりです。これからも、サルではなく「人間」になるために、たくさんの出会いの中で学んでいきたいと思っています。

和多先生は、その後も一座に関わり続けてくださっていた。

二〇一五年四月二十二日。和多先生は五十二年の生涯を閉じられた。白血病が再発したという。あまりに急な知らせに絶句した。葬儀には一座で参列した。和多先生の笑顔の写真が会場正面に掲げられていた。寂しかった。

和多先生、ありがとうございました。これからも一座を見守ってください。僕ら頑張ります、とみんなで誓った。

公演キャンセルというスタートでの躓《つまず》きは、生笑一座にとってある種、宿命的なものを感じさせた。

「一筋縄ではいかない」という現実を生きてきた人々の一座なのだから、こんなこともあると言ったところか。一座のメンバーは嘆くことも意気消沈することもなく、その間おけいこに励んだ。

和多先生との出会いも大きかった。大きな集会、しかも、もともと対象としていた小中学校の先生二千人の前で第一回公演ができたことは幸いだった。おかげでその公演を見た先生のなかから公演依頼が来るようになった。

その年の十二月。若松の北九州市立江川小学校から呼ばれた。

子どもたちは、目を輝かせながら一座の話に聞き入った。

公演の後、教室に行き一緒に給食をいただく。帰りには、授業時間であるにもかかわらず、正門まで子どもたちが見送ってくれた。それを教師たちが笑顔で見守る。なんとおおらかな学校か。子どもにサインを求められ、恥ずかしがりながら名前と住所を書くおじさんたち。満面の笑み――笑える日は現に来ていた。

生笑一座の公演を依頼される学校からは、事前学習をしたいがどうしたらいいかとの相談が入ることがある。しかし、「事前学習はしないでほしい」とお願いしている。この一座の公演は「学習」と言うよりも「出会いの授業」と考えているからだ。

知識としてホームレスや貧困について学ぶことは大事だが、しかし、学びと出会いは違う。いやむしろ、本当の学びは出会いの中にこそあると思う。

あるいは言葉や知識は、出会いによって肉づけられなければならないと思うのだ。「言《ことば》は肉体となり、わたしたちのうちに宿った」（「ヨハネによる福音書」第一章第十四節）。だから生笑一座は、事前学習をお断りしている。


ただ、江川小学校の場合は、一か月後に事後学習に再訪問した。その日は、こちらも何の準備もなしの、出たとこ勝負のやり取りとなった。

対話を楽しむ。それが出会いを核とする学びなのだと思うからだ。子どもたちから思いがけない質問が飛び出す。冷や汗をかきながら一座のメンバーは応えていた。


年が明け、元日の朝。

新年礼拝の準備をしていると、玄関のチャイムが鳴った。ドアを開けると、一座のメンバーである西原宣幸《のぶゆき》さんが立っていた。手に年賀状の束を持っている。江川小学校の子どもたちからの年賀状だった。

「おいら、こんなたくさん年賀状もらったの、初めてよ」と笑っている。

しばらくすると、またチャイムが鳴った。一座の松尾壽幸《としゆき》さんだった。やはり手には年賀状。

「支える人と支えられる人」――そんな固定された区別は必要ない。

一座のメンバーが子どもたちを勇気づけ、子どもたちが一座のメンバーを元気づける。出会いとは、かくもフェアーなものなのだとつくづく思わされた。

公演の終わりに一座のポストカードを配る。

ポストカードは、「出会った責任」ということについて皆で議論する中で生まれた。公演では「助けてと言っていいんだ」と、かつてそれが言えなかったメンバーが自分を振り返りながら子どもたちに語りかける。

でも、それを聞いた子どもが「助けて」と言ってきた時、一座はどうするかということが問題となった。

ポストカードには一座の住所が印刷されている。電話番号もメールアドレスも。ＱＲコードがあり、最近の携帯ならカメラでピッとするだけでメールが打てる。これを配るには少々勇気が必要だ。しかし一座は、「出会った責任」を果たそうと配り続けている。これも出会いの授業である所以《ゆえん》だ。

二〇一三年三月、抱樸《ほうぼく》館北九州の建設が始まろうとしていた。

生笑一座誕生には、実は抱樸館北九州建設をめぐる住民反対運動との日々が影響を与えている。

抱樸館北九州プロジェクトは二〇〇九年に始まっていた。一九八八年から始まったホームレス支援は「新しい地域福祉の拠点を作る」という段階に入ろうとしていた。

活動開始二十年を経て、自立者は千人を超えていた。一方で路上者数は二百人、ピーク時（二〇〇四年、五百人）の半数以下となっていた。

まだまだ路上のいのちに対する支援の手を緩めるわけにはいかないが、一方で自立し、ハウスレス状態（経済的困窮）は脱しても、ホームレス状態（関係的困窮）が続く方々を、どのようにして継続的に支援し続けるのかが課題となっていた。

すでにNPOでは、二〇〇五年には地域生活サポートセンターを開設し伴走型支援を実施していたが、訪問にも限界があり、支援の拠点となる施設が必要となっていた。

また何よりも、自立後の生活で一人暮らしが困難となった方に対するケア付きの住宅、あるいは看取りの施設の必要性を感じていた。

折しも二〇〇九年三月、当時の政府が全国民に対して「定額給付金」を支給すると決定した。私たちは、すぐに記者会見を開き、北九州市民に対して「給付金（一万二千円）の約一割（千円）を社会還元しよう！」と呼びかけた。

約五年かかったが、最終的に六千万円の資金が集まった。この市民の応援を受けて、抱樸館北九州はいよいよ着工することとなった。

しかし、計画を発表するやいなや、建設反対の住民運動が起こった。二〇一三年五月から十二月まで、計十七回の住民説明会を開催するも、理解を得ることは難しかった。

私は、説明会で話す自分の言葉の限界を感じていた。

実際にホームレス経験のない私の言葉は、どこか宙に浮いているような感じがした。毎度「謝罪しろ」と迫られ、頭を下げるが、当然そんなことでは収まらない。そもそも何を謝罪しているのかわからなかったが、謝って建つものならばと頭を下げ続けた。

しかし、当然、「心のこもっていない謝罪」など通用しない。

行き詰まりの中、時間だけが過ぎていった。

私は、自分の言葉の限界と向き合う中で、当事者の言葉が必要だと考えていた。そこで、自立者の互助会「なかまの会」の世話人であった西原宣幸さんと下別府《しもべっぷ》為治《ためはる》さんにお願いすることにした（この二人は、その後生笑一座の中心メンバーとなる）。

西原さんは十一年間、下別府さんは六年間の野宿経験をされている。まさに「死線を越えた」二人に、話してもらいたいとお願いしたのだ。

ただ、不特定多数の前で、自分の一番しんどい時の経験を話すには覚悟がいる。ましてやこの社会は、ホームレスを排除し、困窮者をバッシングする傾向を強めている。偏見や差別に基づく発言が飛び交う住民説明会だ。二人が深く傷つくようなことになるかも知れない。しかし、二人は「わかりました。お話ししましょう」と引き受けた。

会場には五十名ほどの住民が集まっておられた。二人の話が始まった。

野宿になった経緯、当時の暮らし、死んでしまおうと思った日のこと、そして自立を決意したこと。会場は静まりかえった。下別府さんは、反対住民が立てた「建築絶対反対」の「のぼり旗」のことに触れ、「私は、あれが幸せの黄色いハンカチに変わると信じています」と最後に語られた。

二人の言葉は、決して流暢《りゅうちょう》ではなかったが、事実によって受肉しており、容易に否定することなどできないほどの「威厳」に満ちていた。話し終えると、会場から拍手が起こった。「良かった」。二人は笑顔だった。私は、内心「終わった」と安堵《あんど》していた。

だが、その後会場の空気は一変する。

反対の先頭に立っていた方が「あれは幸せの旗じゃないですよ。それに、あなたたちのようなまともな人はいいんですよ。しかし、ホームレスの大半はまともじゃないでしょう。そういう人に来られたら困るんですよ」と語り出した。二人から笑顔が消えた。「やっぱりだめか」と僕が意気消沈しかけたその時、西原さんが再び語り始めた。

「私は、先ほどお話ししたように十一年間野宿をしていました。その間何度もNPOの皆さんが支援を申し出られたのに、それを断り続けていました。やけっぱちにもなっていました。まともじゃないと言うなら、まさに私はまともじゃない人間でした」。

会場は、再び静かに。しばらくして「ともかく奥田は謝れ」ということになって「すいません」と謝って、その日も解散となった。

今回の施設は、主に自立後の終《つい》の棲家《すみか》を目指し、同時に地域に暮らす困窮・孤立状況の方々が支え合いと交流のできる、地域福祉の拠点を作ることを目的としていた。

実際の入居予定者は、自立後十年以上地域で暮らしている方々だった。

だが、そのことを説明しても、「今は地域で暮らしていても所詮元ホームレスじゃないか。危険だ」という発言が飛び出す。

「所詮元ホームレス」。この言葉は、冷たく重く私たちに、そして何より当事者にのしかかった。

さすがにその夜は眠られず、西原さん、下別府さん、そしてNPOのスタッフたちとやけ酒となった。

飲みすぎた私は「野宿したことがある。それの何が悪い。何が違う。なんで差別する。所詮元ホームレスとはなんだ。誰がいったいまともなんだあああ」と号泣した（らしい……あまり覚えていない……）ので、友人の谷本《たにもと》牧師、岩崎《いわさき》牧師までもが心配して駆けつける事態となった。

生笑一座は、あの説明会の半年後に誕生した。

当然、あの日の説明会での二人の言葉が大きく影響している。ただ、それは「元ホームレスだけれどもまともです」とか「元ホームレスだけれどこれだけやれます」ということを証明したかったのではない。

あの日、私は「当事者の言葉」のすごさを実感したのだ。

二人の言葉は本当の言葉であり、死線を越えた言葉は、重く、しかもおおらかで、優しさに満ちていた。


「所詮元ホームレス」は、差別である。何よりもホームレス経験をマイナスとだけ捉えている。確かに喜んでホームレスになる人はいない。できればならない方がいい。しかし、ホームレス時代を生き延びた人には、「特権的な言葉」、あるいは「能力」のようなものがあると私は思う。私には見えない世界が彼らには見えており、私には語ることのできない言葉を彼らは持っていた。たとえ私が同じ言葉を語ったとしても、その深みは明らかに違っていた。

「元ホームレスだけど話せます」ではない。

「元ホームレスだから子どもたちに生きることについて語ることができる」。

この違いは大きい。

ホームレス経験をキャリア化する。ホームレス経験は能力であり、強みだ。

それが生笑一座である。

ホームレス経験はキャリアである。言いすぎだろうか。

もしそうであるならば、隠したり否定したりするのではなく、役立てることができるはずだ。現に生笑一座の場合は、役に立っている。

これまでホームレスと言えば支援を必要としている「被援護者」、あるいは助けられる側の「弱い人々」と認識されていた。

支援現場では、往々にして「助ける人」と「助けられる人」が分断されることが多い。「助ける人」は常に元気で「どうぞ、どうぞ」と言っていた。良いことをしているという自意識はその人を元気にさせるのだ。

だが「助けられる人」は、当初は感謝できても、常に「ありがとう、すいません」と言わされ続け、だんだんと元気がなくなっていく。

東日本大震災後、「絆《きずな》」という言葉が全国を席巻した。

しかし、もしその絆が、元気な人がかわいそうな人を支えるというものにすぎないなら、それは本当に絆と言えるか。

絆は、常に平等性を担保しなければならない。

あるいは「助けられたり助けたり」という相互性や、「助けられた人が助ける人になれる」という可逆性が担保されなければならない。

生笑一座は、そういう絆の具現化である。

それまで支えられる側であったおじさんたちが、今度はその経験をもって子どもを支える。

そして、さらに前述の通り、公演で出会った子どもたちからの年賀状は、おじさんたちの生きがいとなる。

生笑一座には、そのような相互性が芽生え始めている。

助けてと言う叫びに誰かが応えてくれたなら、自分は尊重されていることを実感できる。自尊感情である。

しかし、それだけでは人は本当には元気にならない。

誰かから助けてと言われた時、自分は必要とされていると実感できる。

自己有用感である。自尊感情と自己有用感の両立が生笑一座なのである。

社会は、舞台である。社会的排除は、いわば舞台から降ろされた状態と言える。

それが舞台であるがゆえに、そこに上がった人は、誰でもセリフが与えられ、役割を得る。当初悪役として登場した人が、いずれ味方になるという展開は、最も舞台を盛り上げる。「反対住民」が支援者になる日が来たなら、その舞台は大いに盛り上がることになる。良い社会というのは、良い舞台である。「野宿経験」というキャリアを武器に舞台に立つ名優がいていいではないか。他の誰にも演じることができない、その役を見事に果たしていく。

それが生笑一座である。

一座のメンバーである西原さんは言う。

「ホームレスに戻りたいとは思わないけど、ホームレスをしたことは無駄じゃなかったと今は思う。誰かに助けられるありがたさを知ったし、誰かを助ける喜びも知った。それは、ホームレスをしたからだと思う」。

これは、彼にだけ与えられたセリフである。

唯一の女性座員の房野幸枝《さちえ》さんは、一座の歌姫である。彼女は子どもたちに静かに語りかける。

しゃぼん玉の歌、知っていますか？　この歌の歌詞を作ったのは野口雨情《のぐちうじょう》さんです。歌詞をちょっと読んでみましょう。

「しゃぼん玉飛んだ、屋根まで飛んだ、屋根まで飛んで、こわれて消えた。しゃぼん玉消えた、飛ばずに消えた、生まれてすぐに、こわれて消えた。風、風、吹くな。しゃぼん玉飛ばそ」。

ちょっと悲しい感じがしますね。実は、雨情さんの娘さんは、生まれてすぐに死んでしまったのです。「生まれてすぐに、こわれて消えた」というのは、自分の娘のことでもあるのです。

野口雨情さんは、子どもが死んで、とっても悲しかったのです。みんなはどうかな。死んだら悲しい。誰かがとっても悲しい思いになるよ。

死んだらいかんよね。生きようね、生きていれば笑える日が来る。

実は、私も住む家がなくなってしまったことがあります。そのままだったら死んでしまったかも知れません。本当に困りました。その時思い切って「助けて」と言いました。そしたら、何人もの人たちがちゃんと助けてくれたのです。困った時は「助けて」と言おうね。そしたらきっと大丈夫。生きようね。

そして彼女は『しゃぼん玉』を歌う。涙を流し聴いている子どもがいる。

子どもが「助けて」と言わない時代となった。誰にも「助けて」とも言わぬまま、子どもは死んでいく。私は最近新学期が来るのが怖い。新学期を迎えるたびに、また子どもがいのちを断つ。この国の最も深い闇だ。

一座の下別府為治さんは言う。

おじさんは一人で何とかすると思って生きてきました。そして、ある日どうしようもなくなりました。ホームレスになって毎日大変でした。道で倒れ病院に運ばれました。そうしたら、お医者さんやボランティアの人が来てくれて助けてくれました。自分一人で頑張るしかないと思っていましたが、この世の中には助けてくれる人はいたんです。「助けて」と言えた日が助かった日でした。だから「助けて」って言っていいんです。きっと誰かが助けてくれます。我慢しないで「助けて」と言ってください。

この子らはいったいどんな思いでこの話を聴いているのだろうか。

なぜ子どもたちは助けてと言えないのか。様々な理由があると思う。

しかし、大きな原因の一つは、私たち大人が「助けて」と言わないからだと私は思う。私たち大人は、少し頑張りすぎているのではないか。

「頑張れば何とかなる」と言って歯を食いしばり、「助けて」を封印してしまった大人社会。

「自分だけの力で生きる」。「他人に迷惑をかけない」。それが立派な大人だと子どもたちからは見えているのかも知れない。

自己責任を強調し、「助けない理由」とした大人社会は、「他人と関わらない」、特に「困っている人と関わらない」。それが「正しく、賢い生き方」であるかのように、子どもたちには見えているのではないか。

子どもが助けてと言えない責任は私たち大人にある、と言うのは、そういうことだ。


「正直に言いなさい」。時に大人たちは、子どもたちにそう迫る。

「正直に言ったら許してあげる」。

じゃあ、正直に言いたい。子どもたちに伝えたい。


「実はね。僕ら大人も誰かに助けてほしいと思いながら生きているんだ。

毎日結構つらいことがある。自分で何とかしたいと思うけど、なかなかそうはいかない。さらに、悪いことに大人はそれを正直に言えなくて、嘘《うそ》をついて頑張ってしまう。大人の世界では負けを認めると『負け組』なんて言われてしまう。

でもね、実は僕ら大人も一人じゃ生きてはいけないんだ。

ただ、それを認めることができない弱い存在なんだ。

一人で頑張って、『助けて』も言えず、気づけばホームレスになったりして、それでも助けてって言えずに何年も公園の片隅で独りぼっち頑張ったりしている。寂しかった。つらかった。そして、ある日、勇気を出して助けてって言ってみた。それが大人の真実の姿なんだ。

だから、君たちに頑張れって言うことは、本当はつらいんだ」。


生笑一座は、この事実を正直に子どもたちに伝えている。作り話でも、お芝居でもない。ただ正直に。

「助け、助けられる」ということは人間の本質だ。これを拒絶し、ごまかす社会はもはや社会ではない。一人では生きていけない。そもそも一人で生きていない。それが真実なのだから、人は社会を必要としたのだ。

死さえも覚悟した人々が、最後の最後に、「助けて」と勇気を出して言った。恥ずかしいことなんかじゃない。それが人間だからだ。本当の誇り高き大人とは、助けてと言える大人。それこそがとても美しく素敵であり、人間らしい。だから生笑一座は素敵なんだと思う。人が人であり続け、社会が社会であり続ける。そんな当たり前のことが揺らいだ現代において、生笑一座の果たす役割は決して小さくはない。かつて死んでしまおうと思った人が、今では誰かのために生きている。笑っている。生笑一座そのものが希望なのである。

公演の最後は『ひょっこりひょうたん島』である。子どもたちと歌って踊る。

丸い地球の水平線に、何かがきっと待っている。オウ！

そうだ、何かが待っているんだ。

苦しいこともあるだろさ（ハイ）。悲しいこともあるだろさ（ハイ）。
だけど、僕らはくじけない。泣くのはいやだ、笑っちゃおう。進め！

泣けるなあ〜。生きていれば出会える。

生きていればいつか笑える日が来る。

嘘じゃない、現にあのおじさんたちは笑っているではないか。

だから勇気を出して「助けて」と言おう。とにかく笑いたい。

楽しいから笑うんじゃない。それを待っているとなかなか笑えない。

とにかく笑う。笑っていると楽しくなるんだ。

「笑っちゃおう!　進め!　生笑一座!」。生笑一座は、厚生労働省の自殺対策のプロジェクトに選ばれ、活躍中である。

以上が、生笑一座誕生のいきさつである。

あなたは、もう生笑一座を観《み》たか!　あなたは笑っているか!

「誰も行かぬなら私が行く」——追悼中村哲さん

(2019/12/07 note)

中村哲《なかむらてつ》さんが、銃撃を受け亡くなった。僕は言葉を失った。書けないという思いと書かなきゃという思いが錯綜《さくそう》している。だが、自分のために少し書こうと思う。

ペシャワール会が始まった一九八三年、僕は大学二年生だった。大阪の釜ヶ崎で日本の現実を知らされた。一九九〇年、東八幡《ひがしやはた》キリスト教会に赴任。その後、細々とホームレス支援を始めた。

実は、当時ペシャワール会の報告会は東八幡キリスト教会を会場にして行われていた。今や中村さんの講演会となると大勢の人が集まるが、その頃は数十名の小さな会だった。中村さんの活動はすでに圧巻だった。でも、僕はひねくれていた。海外で活躍する中村さんに対し、「日本の困窮者はどうすんだ」という歪《ゆが》んだ気持ちで見ていたと思う。数十名であっても熱心な支

Memo

トピック
中村哲医師銃撃事件

二〇一九年十二月四日、アフガニスタンの砂漠緑化や医療支援に取り組むNGO「ペシャワール会」（福岡市）の現地代表でPMS（ピース・ジャパン・メディカル・サービス）総院長の中村哲《なかむらてつ》さん（七十三歳）が、現地ナンガルハル州ジャララバードで銃撃され、運転手らと共に死亡したもの。

　中村医師は、一九四六年福岡県生まれ。九州大学医学部卒業。国内の病院勤務を経て、一九八四年パキスタン北西辺境州（現カイバル・パクトゥンクワ州）の州都ペシャワールのミッション病院ハンセン病棟に赴任し、パキスタン人やアフガン難民のハンセン病治療を始める。その傍ら難民キャンプでアフガン難民の一般診療に携わる。一九八九年よりアフガニスタン国内へ活動を拡げ、山岳部医療過疎地でハンセン病や結核など貧困層に多い疾患の診療を開始。二〇〇〇年から旱魃《かんばつ》が厳しくなったアフガニスタンで飲料水・灌漑《かんがい》用井戸事業を始め、二〇〇三年から農村復興のため大がかりな水利事業に携わっていた。専門は神経内科（現地では内科・外科もこなした）。※略歴はペシャワール会のホームページによる

援者が集うペシャワール会の報告会。ホームレス支援の集会には数名も集まらない。僕は嫉妬していたのだ。

　ペシャワール会の初代事務局長は佐藤雄二《さとうゆうじ》さんというお医者さんで、中村さんとは大学同期。この方は、東八幡キリスト教会の会員だった。僕の赴任した年に病に倒れられ、翌年四十三歳で召された。二十六歳の新米牧師だった僕は、この方の最期の日々からいろいろと学ばされた。

　葬儀は、九州大学と肥前療養所の合同葬となった。列席された数百人の前で牧師として説教をすることになった。新米牧師はビビりながら、あれこれ話したと思う。

　式の途中に、アフガニスタンから中村さん

が到着。現地の衣装のまま会場に現れた中村さんは、「雄二、なんで死んだ」と絶叫された。「私は牧師さんのようには語れない」ともおっしゃった。それは「そんなきれいに話したらだめだ。そういうことじゃないんだ」という意味だと僕は受け取った。

牧師になって二年目の僕は「それらしい話」をしたんだと思う。中村さんには、そんな浮ついた言葉は通用しなかった。恥ずかしかった。

佐藤さんをはじめ、中村さんの活動は多くのスタッフに支えられていたと思う。今回も現地スタッフなど五名が一緒に殺されたという。彼らの死も忘れてはならない。

その後、何度か講演会などでご一緒させていただいた。あの日のトラウマか、あまり話はしなかった。お互い「ああ、お久しぶりです」と笑顔ですれ違った。

僕が中村さんから最も影響を受けた言葉は、「誰もそこへ行かぬから、我々が行く。誰もしないから我々がする」だった。

この言葉を、違うフィールドで僕は大事にしてきた、つもりだ。中村さんには到底及ばない。覚悟も足りない。

しかし、この言葉が僕を常に励ましてくれた。

「誰も行かない」のはなぜか。危ないからだ。

だったら「私が行く」と中村さんは、アフガニスタンに通われた。

今回のことはその帰結でもある。しかし、こういう生き方がなければ、現実を変えることはできない。「危ないから行かない」と言ってしまえばすべては終わる。中村さんは、キリスト者としても大先輩。同じバプテスト派の信徒だった。キリストの道、十字架の道とはそういうことなのだろう。

中村哲さんを世界が追悼している。世界が悲しんでいる。しかし、悲しみを憎しみに変換してはいけない。それは中村さんの遺志を継ぐことにはならない。

そうではなく、「どこに行くべきか、何をすべきか」を静かに祈りつつ考えることだと思う。

それが僕にとっての追悼だと思う。

中村哲先生。お疲れ様でした。そして、ありがとうございました。

僕も、先生に勇気をもらい、もう少し先に行ってみようと思います。では、いずれ天国で。

東日本大震災から九年――いのちという基底

（2020/03/11 note）

1．あれから九年――私たちは何を？

東日本大震災から九年が経《た》とうとしている。あの大惨事を経た私たちは、この年月をどのように生きてきたのだろうか。そして、どのように生きていこうとしているのか。それを決めるのは何か。答えは、案外単純なのかも知れない。

私たちは「何を大切にしているのか」。それがすべてだ。ただ、それだけだ。

2．三・一一は「いのちの日」

三月十一日は「いのちの日」だった。しかし、私たちはその原点から随分と遠ざかってしまったのではないか。「喉元過ぎれば」では済まない。なぜならば、まだ何一つ「過ぎ去っていない」からだ。その答えを常に確認していないと、時代の波に飲み込まれてしまいそうになる。あの日生まれた公益財団法人共生地域創造財団は、現在も二十数名のスタッフが石巻、大船渡、大槌《おおつち》、陸前高田で踏ん張っている。

「踏ん張っている」と言うのは、国の復興関連事業が次々と終わっていく中で、「終わっていない」あるいは、「始まっていない」という思いの表れだ。私自身、この財団の代表者であるが、最近は東北を訪れる回数が減っていることに愕然《がくぜん》とする。まだ、終わっていないのに……。

Memo

トピック
公益財団法人共生地域創造財団

東日本大震災により浮き彫りになった高齢者、子ども、精神疾患者などの社会的困窮に対して、被災者支援の枠組みの中で伴走型支援を行い、課題の解決に取り組んでいる。また、全国各地で発生する地震災害、豪雨災害の被災地域においても、支援の届きにくい人たちへ伴走型支援や中間支援を行う。二〇一一年、東日本大震災の三日後に仙台市で開設、半年後に法人化、翌年十月に公益財団法人に。代表理事は奥田知志。

現在は石巻、大船、大槌《おおつち》の三事務所と陸前高田市ユニバーサル就労支援センターがあり、本部は石巻事務所に置かれている。〒九八六―〇八一五　宮城県石巻市中里三丁目八―五　一F―三　http://from-east.org

3. 希望の牧場の問い

福島県浪江《なみえ》町の山裾にその牧場はある。「希望の牧場」と呼ばれている。そこには三百頭以上の牛が今日も「生き続けている」。私がその場所を初めて訪れたのは、震災から七年が経過した二〇一八年春のことだった。

二〇一一年三月十一日の東日本大震災の翌日、福島第一原発一号機が爆発した。原発から二十キロ圏内が警戒区域に指定され、町から人の姿が消えた。「希望の牧場」の元は、エム牧場浪江農場で、原発から十四キロの場所にあった。警戒区域には、牧場が多く存在し、多くの牛や豚が飼育されていたが、半数以上は餓死したと言われている。また、所有農家の承諾を得たうえで殺処分された牛も多い。

農場長だった吉澤正巳《よしざわまさみ》さんは、この殺処分を拒否。町中が避難した後も牧場に残り牛の面倒をみ続けた。吉澤さんは「ここの牛はもう売れないから経済価値はない。家畜でもペットでもない。動物園にもならないよね。何のために飼うのかと、俺自身考え続けた。でも、俺は牛飼いとして殺すわけにはいかないんだ」と言う。「殺すわけにはいかない」という言葉が重い。現在では一般社団法人「希望の牧場・ふくしま」となり、全国からのカンパで今日も牛たちのいのちを支えている。

４.「いのち」という絶対的価値

東日本大震災では、死者・行方不明者を合わせて一万八千四百二十七人（二〇二〇年九月現在）が犠牲となった。これに放射能の惨禍が加わる。大変な事態だと改めて思わされる。

あの日、私たちはすべてのモノがそぎ落とされたように「いのち」に集中していた。何はともあれ「生きている」ことの絶対的な意義と価値を理屈抜きで理解した。それこそが死んでいった人々に対する「責務」のように感じた。

だが、あれから九年。私たちは「いのちよりも大切なものがあるかのような幻想」に再び生き始めている。このように言うと「そんなきれいごとを言ってもね」とすぐさま反応が返ってくるが、それでも「それは違う」と言いたい。なぜなら九年前、確かに私たちは「いのち」という絶対的で普遍的な価値の前で素直にうなずいていたからだ。私たちは「生きている」ことの意味をかみしめていたからだ。

「経済価値がない牛」を生かし続ける吉澤さんや希望の牧場の姿は、「生きる意味のあるいのち」と「生きる意味のないいのち」を分断する今日の日本社会を静かに問うている。もうすぐ、相模原事件の判決を迎えるが（p45など参照）、あの事件を二〇一一年三月十一日から振り返ることが必要だと思う。あるいは一九四五年八月十五日から見つめ直すのだ。

５．私たちの基底

「いのちの底が抜けた日」、私たちはそれこそ「いのち」が私たちにとっての「基底」であったことを知った。それ（いのち）がなければ何もない。経済もクソもない。オリンピックも復興も、すべてはこの「基底（いのち）」がなければ成立しない。今年も三月十一日を迎える。思い出すとつらくなる人々が少なくないことを知りつつ、それでもあえて言う。「私たちはあのいのちの底が抜けた日を心に刻まねばならない」と。

※ＮＰＯ法人抱樸《ほうぼく》は、公益財団法人共生地域創造財団と協働で生活困窮者への生活資金等貸付（無利子・無担保）などを行っている。また、各地の災害の支援も協働で実施している。

神様が与えた視力――「かんじんなもの」は見えない

(2020/04/11 note)

新型コロナウイルスの世界の感染者数が百七十万人を超え、死者は十万人となった(二〇二〇年四月十一日未明。『時事ドットコム』などによる)。死者はわずか八日間で倍増した。日本も「緊急事態宣言」が出され、福岡県を含む七つの都府県が指定された。経済活動にも大きな影を落とし始めている。アジア開発銀行(ADB)は、新型コロナウイルスによる世界経済損失は四兆一千億ドル(約四百四十四兆円)に達すると予想している。これは世界のGDP(国内総生産)の約五パーセントに相当する。

私たちは、今、「見えない敵」に怯《おび》えている。ウイルスのことではない。ウイルスは顕微鏡で見えるが、恐怖は見えない。恐怖は、人を支配し、「見えないもの」を見せる。それは闇に「お化け」を見た子ども時代の体験に似ている。怖がれば怖がるほど、お化けは大きくリアルになった。「見えないものが見える」という能力は、厄介でもあるが、希望でもある。サン＝テグジュペリの『星の王子さま』の中にこんな一節がある。

「さようなら」と、キツネがいいました。「さっきの秘密をいおうかね。なに、なんでもないことだよ。心で見なくちゃ、ものごとはよく見えないってことさ。かんじんなことは、目に見えないんだよ」

「かんじんなことは、目には見えない」と王子さまは、忘れないようにくりかえしました。

（サン＝テグジュペリ作、内藤濯訳『星の王子さま』岩波書店、一九六二年より）

この言葉をかみしめたい。私たちを脅かす「見えないもの」を見ようとするのではなく、今こそ、私たちを生かす「見えないが、かんじんなこと」を見るべきなのだ。それを「心で見る」ことができれば、私たちは生きることができる。

希望、愛、信頼、絆《きずな》、勇気……そういった「かんじんなもの」も、目には「見えない」。しかし、それを見るのは実は「難しい」ことではない。神様は私たちに「信じる力」を与えてくださったから。そう、「心で見る」のだ。怯えることも、安心することも、「見えないものを見る」ことから起こる。だったら、安心できる方を見ようと思う。今こそ信仰の出番だ。絶望に飲み込まれてはいけない。疑心暗鬼になってはいけない。将来に対する希望を失ってはいけない。「見えないもの」には、「見えないもの」で勝負する。

ちなみに「病は気から」は現実だ。私たちの身体を守ってくれる免疫細胞に「ナチュラルキラー細胞（NK細胞）」というものがあるが、ある調査では「精神的に安定している人」と「不安定な人」では、NK細胞の活性の点で前者が倍になることがわかっている。逆に不安やストレスが私たちの免疫力を低下させる。

あなたは「見えない何を見よう」とするか。それは「見えない敵」を注視することではない。「かんじんなもの」を見るのだ。今回の事態を乗り越えるには、そんな「神様が与えた視力」が必要なのだ。

「わたしたちは、見えるものにではなく、見えないものに目を注ぐ。見えるものは一時的であり、見えないものは永遠につづくのである」（「コリント人への第二の手紙」第四章第十八節）。

アアメン。

オンライン対談より

生きる意味を問うということ

（2020/06/06 YouTube 改題）

「新しい生活様式」の陰で…

奥田　今日お呼びいたしましたゲストは、皆さん「『バリバラ』の玉木《たまき》さん」て言うと「ああ、あの人か」って思われると思います。私もテレビを見ていて「おもしろい人が世の中にはいるなあ」と思ってましたら、ここ数年、国の会議とかでご一緒することが増えました。情熱家であり、また心の優しい、そして常に一番困っている人たちのところから、ものごとを考えてらっしゃる。今回のゲストは玉木幸則《ゆきのり》さんが来てくださいました。じゃあ、玉木さん、入っていただきましょう。

玉木　こんばんは。

奥田　こんばんは。ご無沙汰しています。

玉木　よろしくお願いします。

奥田　いやあ、こちらこそお願いします。コロナになって『バリバラ』収録、大変でしょう？

玉木　スタジオに行けないから、家からリモートで収録したり、生放送もね、ここから配信してるんですけどね。

奥田　スタジオでみんなで横並びでしゃべっていたりとか、あれはあれでとてもいいですよね。

玉木　やっぱり、空気感て言うか、ちゃんと目を見て相手の様子を確認しながらとか、「今の言い方で伝わってるかな」とか、確認をしながらやっていくんで、それも大事かなと思いますね。

奥田　なるほどね。「ニューノーマル」とか「新しい生活様式」ってしきりに言っているけども、私なんかアナログ人間ですから、これで果たしていいのかなって。すいませんね、今日も映像、インターネット使ってやっているのに、こんなこと言ったらスタッフの皆さんに怒られるかも知れないけど、これがコミュニケーションかって言われると、コミュニケーションの一部であると言うしかない。

玉木　今の流れでいくと、すべてオンラインがいいとか、すべて接触を避けた方がいいとか、そういうふうに言ってるけども、一番の目的は感染予防であって、じゃあ、会わんかったら感染絶対しないかって言うと、それは言い切れないと思ってるからね。それを踏まえて、特にテレビでの言葉の使い方っていうの、すごく大事やなあと最近思いますね。

奥田　「感染リスク」って言いますね。「リスク」っていう言葉をよく使いますが、人間にとっての「リスク」は、現状で言うとコロナウイルス感染だということになります。一方で、最近はマスクしないと街を歩けない。例えば、マスクが手に入らない人は街にも行けない。そもそも日本社会は孤立リスクが高かった。さらに、「会うな」「出会うな」「出かけるな」って言われるとどうなるか。

　私の現場で言うと、孤独死とか孤立死を、三十年間見つめてきたわけです。せっかくホームレスから自立してアパートで暮らしても、独りぼっちで死んでいく。何のための自立だったのか。そんなことを考えるとどっちの方が「リスク」が高いか。比べようもありませんが、感染リスクだけに

Memo

対談の相手
玉木幸則〈たまき ゆきのり〉さん

一九六八年兵庫県生まれ。日本福祉大学社会福祉学部卒業。社会福祉士。ＮＰＯ法人メインストリーム協会自立生活センター、社会福祉法人西宮市社会福祉協議会障害者総合相談支援センターにしのみや等勤務を経て、現在フリーランス。二〇〇九年四月からＮＨＫ教育『きらっといきる』、二〇一二年四月からはその改編番組『バリバラ〜みんなのためのバリアフリーバラエティー〜』にレギュラー出演。厚生労働省等の各種委員も務める。著書に『生まれてきてよかった――てんでバラバラ半生記』（解放出版社、二〇一二）、編著書（共編）に『障害者本人中心の相談支援とサービス等利用計画ハンドブック』（ミネルヴァ書房、二〇一三）がある。

特化されて語られると見誤るなって気持ちがしますね。

玉木　うん。本当に何を大事にせなあかんかっていうことを、僕たちなんか、絶えず伝えていかなあかんかなって思ってて。例えば、マスク一つとっても、僕も脳性麻痺《まひ》やから割と肺とかが弱くてね、なかなか呼吸が難しくて。たまにマスクしてコンビニとか歩いていくんですけども、少しマスク着けて歩くと高山病、苦しくなるんで。わかります？

奥田　（笑）なるほど。高山病になったことないけど、何となくわかる。苦しい、苦しい。

玉木　でも、そこでマスクせんかったらね、じろじろ見られたりね、異端視して「あいつはあかんやつやなあ」みたいな見方をされるんやけど。その人一人ひとりに合わせた感染対策っていうのをね、ほんとはもっと提示していかなあかんやろなと思ってるんやけど、「コロナの感染予防は」と一括りにして「みんなマスクしましょう」「手を洗いましょう」とか「距離をとりましょう」とか、通り一遍のことだけを伝えていってしまってるのは、ちょっと見ててしんどいなあって思ってるんですけどね。

奥田　そうですよね。政府が配ったマスクもねー。全国の方々から、「いらないからもっと困ってる人に回してあげてください」と現在抱樸《ほうぼく》の事務所に送られてきています。もう、二万枚を超えました。抱樸の職員やボランティアが現在仕分け作業をしています。今日、最初の物資として日本で最大の寄せ場である釜ヶ崎に六千枚送りました。今となって、やっとこさ届き始めたマスクですが、「マスクをしてください」って言われても肝心のマスクが手に入らなかった。どうしろって言うんだ？例えば「手洗いしろ」って言ってもですね、ハンドソープが品切れてました。どうしろって言うんだ。

どんどんと社会は、全体主義的な空気になっています。あえてマスクしないという人もいるだろうけども、できないっていう人も少なくない。例えば玉木さんみたいに、肺が悪くてマスクずっとやってたらね、高山病みたいになっちゃう。そういう個人ということが、スポンと抜けて、一気に「日本社会」ってレベルに行っちゃう。社会は大事だと思うけども、例えば東京都知事がね「東京を守ろう」みたいなことをおっしゃった場面って、いや「いのちを守ろう」だったらまだしも、そもそも東京の中には都民以外もいっぱいいるし、外国人もいるから、最終的には「あなたを守る」「私を守る」「彼を守る」っていう話なんじゃないか。一括りに、東京っていう話になったり、もしくは国家の危機だって言われるとなんだか違和感がある。確かに国家の危機なんだけども、でも「いや、私のことなんですけど」って一方で言いたくなるような場面がありましたよね。

玉木　なんか、そういうのも、一方でね、今、いいも悪いも、多様性とかダイバーシティとか、それこそ「オリンピック・パラリンピックに向けて、みんなで多様性を受け入れよう」みたいなことで言ってきたにもかかわらず、今回のコロナの一件で、あ、ほんとに多様性って、あんまり考えてなかったんだなあっていうのが、ちょっとばれてきたような気がしてね。それをなんか、ごまかしごまかしやってるから、いろんな問題が出てこないっていうかねー。ほんまに困ってる人が「助けてくれ」っていうことが言えてないんかなっていう気がちょっとしてるんですけどね。

奥田　なるほどね。自警団みたいなことも問題になっていますね。自粛警察とかね。

玉木　危ないね。

対話と、人と人の関係と

奥田　なんでああなるんですかねぇ。正義感なんでしょ、多分。みんなのために自分が、自粛してない悪い輩を「取り締まってやろう」みたいな気持ちになっているんだと思います。そこにはね、対話もなければ、「その人の事情をまず聞いてから」

みたいな姿勢が一切ないですよね。しかも、正義感でやっているからたちが悪い。

玉木　少なくとも「どうしたんですか」とか「なんでマスクしてないんですか」とか声かけていけば済む話を、もう一方的に「あいつマスク着けてないから悪いやつや、やっつけてしまえ」ってなるのは、むちゃくちゃな話なんでね。さっき奥田さんが言うてくれたような、対話っていうのが、ほんとは大事やって言われてるのに、いざそういう場面になった時には、対話することに僕らも含めて慣れてないから、どうやって訊《き》いていけばいいのかってことすら、わかってないんかも知れないですね。

奥田　ああそうか。そもそも、私たちの今の現状って、対話っていうのに慣れていないことが表出した事態だったんだ。言われてみたらそうですよね。学校教育にしても、答えありきの問いばっかりだから。でも、社会には正解ないですよね。

玉木　うん。ないんですよ。

奥田　抱樸がやってきた伴走型支援という考え方は、「答えがない」という世界。今まで専門家が答えを握ってて、困っている人にその答えを与えていくみたいな支援が多かったんだけども、伴走型支援は、「答えは間にある」っていうふうに考えます。答えは、関係性の中で生まれていく。そして、関係の中で変わっていく。

私はそういう意味では、玉木さんには叱られちゃうかも知れないけども、当事者主体とか当事者主権ということも、ちょっと危ないと考えています。当事者が一番わかっているかって言うと、そうでもない。当事者も孤立している人は、自分のこともよくわかんない。「あなたがしたいことを聞かせろ」って言っても、「俺は何がしたいかわかんない」って言う人が少なくない。特にホームレス状態、つまり、孤立している人には多かったですね。

対話って、どうやったら成立するんですかね。

玉木　これがね、なかなか難しいことでね。僕なんか、幸い『バリバラ』出させてもらっているんですけれど。そこでは、ゲストとして出てもらういろんな障害のある人とかとお会いする機会があるから、気になったことはいっぱい訊いていけるんやけど。一方、じゃあ、僕が社会生活に戻っていった時に、実際に訊けているかと言うと、やっぱり人の目が気になったり、人のこそこそ話が気になったりして、なかなか「え？　何ですか」っていうふうには言えない環境にいるんですよね。それでも僕らから実践していくって言うか、ちょっと一歩でも二歩でも踏み出して、「どうしましたか」とか「何かお困りですか」とか、こっち見られてたら「何か顔に付いてますか」ぐらいのね、そんな形で会話が始まっていけば、対話ってかまえなくても、自然に対話ができるんかなとか思ったりしますけどね。

奥田　なるほど。私、その点ではね、対話って何のためにあるかって言うと、単純に関係なんだと思うんですよね。対話をしたり議論をしたり討論することで、お互い答えを見出《みいだ》そうっていうこと以上に、わかろうがわかるまいが、対話が続いていることの方が大事で。例えば、目的がはっきりした議論もあれば、私の場合、飲み屋の議論みたいなものもあるわけですよ。どうでもいいようなことをね、一杯飲みながら二時間ぐらいしゃべって、翌朝にはすべて忘れているんだけども、「二時間あいつとしゃべった」っていうだけなんだけどね。この頃私、大森《おおもり》っていうね、ちょっと悪い友達ができまして、一緒に飲むんですけどね。毎回二人でね、何しゃべったか全然わかんないですよ。最後は、『また逢う日まで』を絶唱しながら別れていく。じゃあ、何が大事かって言ったら、その二時間ほど一緒にいて、食事をしながら、しゃべったことそのものの方が、価値があるんじゃないか。それで言うと、何か得るとか、何か解決することより、つながること自体が大事なんじゃないか。

そうなると、コロナ状況ってきついですよね。つながるなって言われている。その点どうですか。

玉木　さっき言ったように、両方が一方通行って言うか、一方向しかつながれてないから、つながることでのリスクと、でも、それを避けるためには、ちょっと距離はなそうかとか、並んで酒飲もうかとか、いろんなやり方があるわけであって。

国がね、頑張って言ってくれてるのもわかるけど、「新しい生活様式」って言うよりは、「生活の中での工夫をやっていきましょう」って言ってくれた方が、よっぽどわかりやすいわけですね。

「合理的配慮」をめぐって

玉木　ちょっと話変わるんですけど、今、国の会議でね、「障害者差別解消法」の改正論議をやってるんですね。で、合理的配慮っていうのが、一応、「障害者差別解消法」では、行政とか地方公共団体は法的義務になってて、今度の改正では民間事業者も法的義務にしようっていう論議があるんですけど、一部ね、企業の代表の人たちが反対するわけですよ。何が反対かって言うと、合理的配慮を義務にされたら、事業者が萎縮して、ビビって、進まへんとか言うんだけど。合理的配慮っていうのは、僕なんか言ってるんやけど、理にかなった工夫の積み重ねをやり続けることが合理的配慮の義務であって、例えば、スロープ付けてくれって言われたらすぐ付けることが義務ではないっていうこと、建設的な対話をやり続けることが義務であるということ、何回も僕なんかは言ってるんだけど、そこら辺の言葉のニュアンスがね、なかなか通じないんだっていうのは、最近すごく感じてるんですね。

奥田　なるほど。なんか責められているみたいに思うんでしょうね。そして、これが生産性社会とか成果主義の結果だと言えます。今おっしゃったこと、大事ですよね。例えば「スロープ付けてくれ」ということだけども、今、会社は設備投資まで金が回らない。「玉木君悪いけど、その時にね、みんなであなたの車いすを抱える、まずはそこからやるから、もうちょっと待って」て言われたら、それ、合理的配慮ですよね。

玉木　そう、そういうことですよ。それを義務にしようって言ってるだけやのに、なんかね、過剰に反応してね、抵抗しはってるんですよね。

奥田　例えば差別の問題にしても、なかなかなくならない。それはなぜかって言うと、知らないから。知らないで差別していることが多いわけです。かと言って、ちょっとやそっと学んでも、すべてのことがわかるかと言ったら、やっぱりわかんない。そもそもそういう知識じゃなくって、一人ひとり違う人間との出会いの中で、「この人にとっては、こういうことすることが傷つけることだ」ってことを考えていく。出会いの中でしかわかんないことがある。なのに、そういうの全部すっ飛ばかして、答えが出るか出ないかというところに一点集中して、それを合理的配慮って言う。大事なのは、合理的配慮をする「意思」ですよね。

玉木　そうですよ。

奥田　合理的配慮しようとする「意思」を確認しようとしているわけであって、「無視」するなってことですよね。

玉木　そういうことです。

奥田　コロナ状況においてもそうですよね。感染防止対策。例えば、くしゃみする時は腕をこうしろって（腕で口を覆う仕草）。それ、ほんとに大丈夫かって一瞬思うんだけども。こんなことやっても飛沫《ひまつ》はどっちみち周りに飛ぶんだから、だったらやらないって考える人もいる。でも、あれは周りに対する一つの意思表示として「俺は今、ちょっと気にしてますよ、合理的配慮しようとしてますよ」って。コミュニケーションの問題としては、あれは、有効だと思います。そこが、人が一緒に生きていくっていうところだと思うんですけど。

今日は玉木さんにどうしても訊きたいことが、いくつかあります。まさに合理的配慮ということを考えても、人間は対話的に模索していく。わからないっていうことを前提としながら探っていく。そのプロセス自体が合理的配慮なんだ。だけど、一方で……。

実は私と玉木さんが初めてお会いしたのは、厚生労働省の「共生社会フォーラム」の会議だったと思います。二年ほど前のこと。これは、津久井やまゆり園事件がきっかけでできました。あの事件は、元職員、障害福祉の現場にいた人が、障害のある人たちに対して、憎悪というか、そういうものを抱いてしまった。二度とああいう事件を起こさないためにも、障害福祉に携わる職員さんたちに、自分たちが今何をしようとしているのか、それを言葉化したり、物語化したりするためのフォーラムですよね。そこに玉木さんも私も委員として参加している。

お互いが歩み寄って、答えはないんだけど理解しながら、ある時、納得できないかも知れないけど、それでも切らないで、共に生きていく。これが共生っていう中身だろうと思うんだけども。一方であの事件は、「障害者は生きる意味のないいのち」だと、全否定した事件です。三月に判決があって、死刑が確定すると思います。事件からすでに数年が経《た》ちましたが、この間玉木さん、今、改めてこの事件をどう思われますか。あの事件から社会は何か学んだでしょうか。どこか変わったでしょうか。その点について、お話ししていただければうれしいです。

津久井やまゆり園事件は一日にして成らず

玉木　はい、ありがとうございます。あの事件が起きた時に僕は、心のどこかで「とうとう起きちゃったな」というのがあってね。一般的には、あれは津久井やまゆり園という特異なエリアの特異な場所の特異な植松《うえまつ》という者が起こした特異な事件として捉えられてるんだけど、僕はそうやないって思ってて。こないだ判決が出て、死刑確定することはもう決まってるけども、でも、じゃあ、彼が死刑になったことで、あの津久井やまゆり園で起きたことが、帳消しになったり、逆にあそこで何がどのように行われたかが本当に明らかになるんかと言うと明らかにならんまま、あの事件を終わらせようとしてるな、というふうに思っててね。

僕が言いたいのは、一つは、施設内における虐待って言われるような犯罪行為が、実は残念ながら今の社会の中で、今この時間もどこかの施設で多分起きてるやろうなってこと。そういうことに、きちんと僕たちは気づいてるかどうか、また、気づいた時に何かアプローチできるか、何か発信していけるかどうか。そういうことを考えていく必要があるんかなということが一つあって。もう一つね、このコロナを契機に僕はね、みんな大変な状況やけど、ある意味コロナが出てきて良かったなと思うところもあってね。何が良かったかって言うと、福祉っていうことを僕たちは日常的に伝えていってるんですけど、講演とか大学の講義でしゃべるとね、福祉ってやっぱし他人事でね、高齢者とか、障害者とか、子どもとか、生活困窮者とか、いわゆる限られた人のものっていうふうに捉えられてしまってると。ところが、コロナになった途端、福祉に関係ないって思う人たちも、実は普通の暮らしができんようになって、不安とか困りごとがいっぱい出てきたわけですね。そういうことを僕たちは日常的に困ってるんですよと、困った時に「困った」って言っていいし、助けてほしい時には「助けてください」って言うていいんですよって、僕は、今度のコロナのことは言うていこうかなって思ってるんですけどね。話、それましたよね（笑）。

奥田　いえ、全然。その通りですよね。まず最初におっしゃった第一のポイントは、やはり私もそうだと思います。「ローマは一日にして成らず」なんだけども、同じようにあの事件は、あの事件で始まってあの事件で終わるっていうことではないはずだと。それを生み出した社会の背景。私は植松君自身もやっぱり時代の子だったと思います。それと、やまゆり園の現実というか、当然、すべての障害者福祉施設がそうであるとは言えないけれども、すばらしい活動をされているところもたくさんありますが、一方で、やまゆり園という場所で事件が起こったのも事実です。あの福祉施設で何が起こっていたのかを検証すること、その視点ですべての福祉施設の在り方も検証することが重要だと思います。

私たちは、植松君が悪かった、植松が異常だった、だから彼を死刑にすると考えたい。それで終わらせたいと考える。しかし、終わらないですよね。「とうとう起きちゃった」ということは、あの事件につながる流れがあるということですね。さらに、あの事件で私たちは変わりましたかね。あるいは、どう変えていけばいいですかね。

玉木　彼がね、事件の折に何度か言ってた「役に立たないいのち」っていうことを、一般の人が聞いてね、みんなが「そんなことはない」って言い切れてるかどうかなんですよね。でも、多分、今もそうやけど、コロナ禍で仕事がなくなったり、クビになったり、行くとこなかって「これからどうしようかな」って路頭に迷う人たちが出てきた時に、それでも生きなあかんし、生きるのは一人で生きるんじゃなくてみんなと生きていくんやねんていうことを、僕らが一生懸命伝えていかなあかんて思っててね。

役に立つとか役に立たんとか、そういう評軸は本当は必要がなくて、まず生まれた以上は死ぬまで生き続けることが僕らの役割って言うかね、僕らの責任やと思ってるし。途中でしんどうなった人に「しんどかったらちょっと休憩しようか、一緒にちょっとしゃべろうか」とか、もっとフラットな関係でね、生活ができるような仕組みが必要なんかなって思ってるんですけどね。

奥田　役に立つか立たないか。このプレッシャーは大きいですよね。私、ご存じの通り植松君と二年前に会った時ですね、彼、明確に、役に立たないいのちは殺した方が良い、それはみんなの迷惑だと言っていました。ただ植松君に「最後に訊くけど、君自身はあの事件の前、役に立つ人間だったのか」って訊いたら、彼は「自分はあまり」――この「あまり」っていうところが微妙なんですけど――「あまり役に立つ人間ではなかった」って、ぼそっと言ったんですね。彼は障害のある人たち、特に重い障害のある人たちを役に立たない人間だ、人に迷惑をかけていると言いのけるんだけど、その同じ価値観や同じ物差しで自分を測っている。多分、「このまま行ったら自分も役に立たない人間になってしまう」という思いの中であの事件を起こした。つまり、世の中の、社会の役に立つために「意味のない障害者」を殺すということを実行し、それで自分は褒められるだろう、役に立ったと評価されるだろうと思っていたと思います。

非常に、論理としては稚拙だし、「そんなこと、まともに考えてたのかよ」と逆に訊きたいんだけども、しかし、他人事には思えない部分がある。僕の中にも、やはり人からの評価とか、役に立つ人だと言われたいとか、それがうれしいっていう感覚はあると思うんですよね。これが「奥田さんいない方がいいよ」って言われたらどうなるんだろうかって。それでも、私たちはそこ乗り越えていかなければならないし、今玉木さんがおっしゃったような、いのちという普遍的な価値というものに立つべき。でも一方で私は、役に立つとか意味があるっていう価値の軸を、限りなく増やしていくしかないと思うんですね。

役に立っても立たんでもそんなのどうでもいいんだっていうのは、いのちっていうレベルからいくとそうなんだけども、でも人間が日々生きていくということにおいては、「自分は何のために生きてるんだ」って問うのは健全な問いだと思うんです。そうすると、植松君がとらわれた「役に立つ」「立たない」っていうのは、現代社会においては経済効率とか生産性に限られて、価値の軸が非常に単色化、モノトーンになっている。でも、生産性が高いとか低いとか、役に立つとか立たないっていう価値の軸は、無限にあってほしいと思うんです。

いのちにはそれぞれの役割がある

玉木　役に立つとか役に立たないって言うよりは、僕が自分に言い聞かせてるのは、自分の役割って何やろっていうことを、自分に問うていくことであってね。僕が例えば動いたり、僕がしゃべったりして、何か変わっていくかって言うと、そんなに変わっていかへんのですよ。でもね、僕がこれをしゃべることで、一人でもええから二人でもええから何か伝わってくれて、何か共感してくれたらええかなとか、そういうふうに、「僕の役割って何やろ」って考えるようにはしてるんですね。でもね、実は僕、三月末で一応、社協辞めたんですよ。

奥田　えっ、辞めたの？　全然知らんかった！

玉木　フリーランスでやっていこうと思って。

奥田　抱樸に来ませんか？

玉木　（笑）ぜひ。そいでね、この時期やっぱり講演会もないし、研修会もないからね、むちゃくちゃ不安もいっぱいあるんですけど、仕事辞めた機会に、体ゆっくりしようとか、次のためにちょっとメンテナンスしようとか、そういうふうに自分をね、言い聞かせながらね、今でもできる役割って何やろかなっていうふうに、ちょっとゆっくりとね、考えていこうかなって思うてるんですけどね。

奥田　素敵な話ですね。玉木さんのそういうところが大好きなんだけど。そうですよね、「役に立つ」「立たない」って、それ誰が決めるのか、どの価値軸なのか。そうじゃなくて、自分にとって自分の役割とは何か、それを考えるのが、まず大事なんだっていう。

私、数年前に糸賀《いとが》一雄《かずお》先生の賞をいただきまして。私も滋賀県出身なんですが、糸賀一雄さんは、滋賀県民にとどまらず福祉の父ですから、とっても偉大な方で。私、賞いただいた時、糸賀さんが亡くなった時と同い年だったんですよ。糸賀さん、亡くなる直前の写真を見ると、どう見ても七十歳ぐらいにしか見えない、おじいさんにしか見えない。ものすごい苦労って言うか……、当時の知的障害のある子どもたちは、社会的には全く無意味だって思われていたのを、糸賀一雄さんが発達保障ということを言われ、実行された。糸賀さんの本を、今我々は読むべきだ。その中で糸賀さんが「生産」とは何かっていう話を書かれていますが、「生産」とは「自己実現」のことだって言っておられる。

今、玉木さんがおっしゃったのは、まさにそのことだと思いました。生産っていうのは、経済効率性とか、あるいは帰属している共同体にとって利益をもたらすかどうかといった、そんな単純なことではなくて、その人、その人の、自己実現なんだ。個々人の役割なんだと思います。その人がその人であることが生産なんだ。だから生産性の高い社会というのは、その人がその人でおれる社会のことだと言えます。その人にしかできない役割、果たせない役割を保障していく社会、それが生産性の高い社会なんだ、糸賀一雄さんは、多分そう言いたかったんだと思うんですよね。糸賀さんが亡くなってからもう六十年ぐらい経ちますけども、現代社会は忘れてしまった。植松君は、社会保障費がかかるから障害者は迷惑だというお金の価値みたいなものに特化させてしまった。そうではなく、自分の役割は何か、それを相互に大事にできる社会でありたいと思いますね。

私ね実は、教会の牧師なんです、こう見えても（笑）。うちの教会、いろいろ苦労した若者たちがたどり着くんですね。うちに二十歳で少年院からたどり着いた女の子がいて、私が引受人になって、一緒に暮らし始めるんです。彼女の口癖が「私はどうでもいいいのちだから」。確かに彼女の生い立ちをずっと聞くとね、幼稚園入るか入らないかぐらいで親に捨てられて、その後は施設やいろんなとこを転々としながら、最後、うちにたどり着いた。何度も死のうとしたり、いろんなこともあって、ほんとに我々ドキドキしたんだけども、その時にやっぱり言うんですね。「私はもう、どうでもいいいのちだから」って。

うちのカミさんの伴子《ともこ》さんが、その子に必死になって関わるわけです。愛着ベースがない、安全基地を持ってない子たちの安全基地になろうとする。その口癖に対して、うちのカミさんとうちの教会が宣言するわけです。「神様は、どうでもいいいのちをお造りになられるほどお暇ではありません」って。神様忙しいんだから、人助けで大変だから、神様はどうでもいいいのちを造るほど暇じゃねえって。ここ数年、うちの教会の礼拝の最初にその言葉が読み上げられて、礼拝が始まるんです。

玉木　すばらしいな。

奥田　これ、闘いの言葉でね。その子は言いますよ。「じゃあ、何か証拠を見せろ、そんなこと言える証拠あるのか」。けど、ないんですよ、そんなもの。だから信じるしかない。「俺、信じてるんだ、それを真剣に」と伝える。そして、「どうでもいいいのちなんかない」ということは、すべての人には、すべてのいのちには、役割が与えられているということだと思います。それを今の社会は時々見失う。今の社会の秤《はかり》じゃ計れないものが、ある。そんな役割や意味が。

いろんな有名な、超有名な芸術家たちが、亡くなってからその絵画の価値とかね、みんな手のひら返したように（評価する）。モーツァルトでさえそうだと思うんですよね。死んでからみんな気がつくみたいなね。「その絵見て私なんか安心します」と言う人が何百年の後に現れるみたいなね。あんまり性急に、意味のあるとかないとか、役に立つとか立たないとか言ったらだめ。確かに死んでからじゃ遅いし、殺してからだったらもっと遅いんだけど、「植松君、そんなこと言うなよ、お前さんは、そんなことしなくても役割があったのに」って言ってやりたいですよね。

玉木　多分ね、ついつい僕らは、答えっていうのを、すぐ出したがるんですよね。例えば学校教育でも、答えを出して何点とか点数付けられて、ずっと答えを出して、どうなんよ、どうなんよって、やってきて、生きていけるんやけど、実は答えっていうのは、一つのものもあれば、無数のものもあって、今はこうやけど二週間後にはその答えが変わってるとか、そういうこともいっぱいあるわけですよね。だから、結局はね、生き続けないと、その答えも本当は見えないやろなって、僕は自分に言い聞かせてるんですけどね。

奥田　なるほど。その答えはわかんない、だからこそ生き続ける。探し続ける。自分の役割や、ちょっと嫌な言葉だけど、価値みたいなものを探すために、生き続けるんですよね。全く同感です。答え出すしんどさもしんどいんだけども、かつての受験勉強なんか今から思うと、よくあんな時期生きてたなと思うんですけどね。意味がない、ちゅうと怒られますけど、もう全部忘れました、私、正直。サイン、コサインとか何のこっちゃみたいな（笑）。

玉木　（笑）無理、無理。

わかり合えない部分は残る、けれど共に生きる

奥田　だけど、答えを求めることもしんどいけど、答えのないまま生きるってこともしんどい。でもそのしんどさの方がよっぽど高尚だって言うか、価値あることだと思いますけどね。現代人は、答え出ないともたないんですかね。

玉木　そうでしょうね。しんどいんや思いますよ。不安の中で生き続けることに耐えられない人が増えてるんかも知れませんね。

奥田　なるほど。不安だけじゃない、悪いことするのもそうかも知れないけど、そういう不安、どうやって補うか。不安を解消するってみんな言うけども、それができたら簡単だけどそうはいかない。そうなると「実は、わかんないんだよ」とか、「実はわかってないんだよ、俺」って正直にみんなで言うしかない。「お前もか」「俺もだ」と広がっていく。そういうことがスタンダードになるしかない。答え持ってる方が正解で、答え持ってなかっ

たら不正解じゃなくて、人間ってそうだよねと正直に露出できる社会でありたいですよね。弱さを出せる社会ですよね。

玉木　思い切って「テレビではああ言うてるけど、ほんまは俺そんなこと思ってないねん」とか、「ああは言うたけど、やっぱり、パブリックな言い方やけど、ほんまはそこまで思うてない」とか、もっとゆるやかに、自分の言葉でしゃべるとか、そういうことができていくのがええんかなと思うんですけどね。

奥田　そうですよね。「わかんねえ」って言えるって大事ですよね。私の現場でも共感は必要だし、連想力とか共感力とか大事なんだけども、でもね、共感不可能っていうことはもっと大事だと思います。例えば野宿のおじさんの横に座って、いろんな話聞くでしょ。「大変でしたね」とかね「そりゃ、つらかったね」とか「わかりますよ」って言うとね、ま八割ぐらいの人は「ああ、何年かぶりに俺の話をちゃんと聞いてくれた」とか感謝してくれるんですよ。でもね一割、二割の人はね「いやあ、大変でしたね、わかりますよ」って言った瞬間「お前に俺の大変さがわかるか！」って、えらく怒られたりする。やっぱり人間っていうのはそんなに単純じゃない。簡単に共感されたら困るんですよ。共感不可能性の共感みたいな、「お互いわかんないよね」ということをお互いが了解する。僕なんか、「俺のしんどさ、わかるか」って言われたら、「お前、妻子持ちのしんどさわかるか」って言い返す。わからなくていい。でも、一緒に生きていく。

玉木　わからんくていいし、一番僕が嫌なのが、わからへんのにわかったふりする人。一番それがしんどいなって思ってね。例えば僕の体の痛みとかしんどさは、実は僕にしかわからへんわけですよ。それを「ああわかるわ、大変やな」って言われても、ほんまにわかってないし、その大変さも、例えば僕が思う大変さと、奥田さんが思う大変さは違うわけであって、それを「違うよね」って言えるかどうかは、絶対大事なことなんですね。

奥田　なるほど、そうですよね。「わかる」っていう言葉の中には、ニュアンスとして支配するっていう意味が込められますよね。「あなたのことわかりました」って言われた瞬間に、その人の範疇《はんちゅう》に入れられちゃうみたいなね。さらに「あなたはこうなんですよね」とか「あなたはこんなこと考えてきたんですね」って言われたら、ちょっと腹立つみたいなね。やっぱり「正直なこと言うとわかんないです、すいません」て言いながら、でも、わかんないけど、なんとか一緒に生きようと努力する意思が大事。それが、まさに合理的配慮なんだと思います。

玉木　そう、そう。わからないから対話をし続けることが必要で、わからないからしゃべったり訊いたりし続けることが必要なんですよね、みたいに思うんですけどね。

奥田　だからこそ生き続けるしかないんですよね。途中で諦めんのはやめておこうと。この先一番恐れているのはコロナ関連死――自殺、ホームレス、犯罪に多くの人が向かうのではないかということです。なんとしても阻止せんといかん。私も諦めないで生きていこう、だから、諦めないでほしい。そう、今思っているんですね。

　玉木さん、今日、すいません。あっという間に時間で。また、やりません、これ？

玉木　ぜひ。

奥田　実は、三月に玉木さんをうちの教会で呼んでたんですよね。みんな楽しみにしてて、実はポスターもチラシも配った後だったんですよ。全部準備した後で、コロナになった。玉木さんに電話して「どうしようか」と。しかし、来てもらって感染してもらうのもだめだし、うちの会堂に二、三百人集まるでしょうから、それも難しいなってことで実はキャンセルになったんですよね。それのリベンジで今日、ネット対談ですけど、やっぱり私、ネットじゃ物足らない。玉木さんのいつもの電動車いすが横にあって、見事にレバー操作をされてる（ところが見たい）。やっぱり臭いのしない世界も嫌だし。ぜひ、近々遊びに来てください。

この後、私はもう一回クラウドファンディングのご案内をしたいと思うんですが、その前にゲストで来ていただいた玉木さんから一言、皆さんに対する励ましの言葉、あとクラウドファンディングに対する励ましの言葉も、どうぞお願いします。

玉木　今日は本当にありがとうございました。奥田さんとしゃべるの、時間がなんぼあっても足りないって毎回思ってるんですけど、今日もそうです。今日の話聞いてもらって、ちょっとでも、伝わったらええんやけど。しんどい時には「しんどい」とか、助けてほしい時には「助けて」って言えるかどうかっていうことが大事やし、僕らも周りの人よう観察して、しんどそうやなとか大変そうやなっていうことに気づく力っていうのを、いっぱいの人と出会っていくことで培っていけるんと違うかな思うんで、僕なんかいつも街中できょろきょろして歩いてるから、挙動不審に思われるんですけど、ぜひ皆さん、きょろきょろして歩いてもらったらいいかな。ということと、それからクラウドファンディング。これすごく大事なことやと思うてて、多分、しんどさとか暮らしづらさなんか比べようがないんやけど、少なくとも、僕らが気づいてないとこでね、気づいてない、しんどい暮らしをしてる人が、おることは間違いないので、そういう方をぜひ応援するような仕組みをね、このクラウドファンディング使ってね、ご協力できたらええかなと思ってるので、ぜひ協力していただきたいと思いました。

今日はありがとうございました。

奥田　ありがとうございました。またお会いしたいと思います。

第5章

希望のまち

©タカオカ邦彦

人がまるごと大切にされるために
――抱樸のミッションとは

(2019/11/17 note)

なぜ抱樸《ほうぼく》が必要か。

1．抱樸の意味

二〇一三年私たちは、活動開始二十五年を期して団体名称を「ＮＰＯ法人北九州ホームレス支援機構」から「ＮＰＯ法人抱樸」に改称した。

「抱樸」が目指す支援は「個別型包括的支援」と言える。「抱樸」は老子の言葉。「樸」は、原木や荒木を意味する。抱樸とは、原木をそのまま抱き止めるという出会い方であり、人と人との関係を示す。原木が製材所で整えられたら受け入れるというのではない。条件は付けない。

長くこの国は、困窮状態にある人々に「自ら申請すること」を求めてきた。「申請主義」である。しかし、苦しい状態にある人々は孤立していることが多い。「なぜ、もっと早く相談しなかったの」と言いたいが、相談できない、あるいは相談する相手がいないのが困窮者である。

原木はあらゆる可能性を秘めている。「何がしたいの」「何ができるの」。性急に答えを求める時代にあって、本人さえ自分の可能性が芽吹く時を待てない。

抱樸は、その答えはいずれ出ると信じて待つ。いや、たとえ明確に答えが出なくても、のんびりと関係を保ち続けるという生き方である。

さらに抱樸するということは、お互いが原木・荒木であるゆえに、少々扱いにくく、とげとげしいことを前提として共に生きること。時には傷つけ合い痛むこともある。しかし、人が人と出会い、共に生きるとは、そのようなことを含んでいる。そういう覚悟が必要なのだ。なぜならば「絆《きずな》は傷を含む」からだ。

この間社会は、「自己責任」「身内の責任」と言い放ち、そのことによって社会自体が、存在意義を捨てた。結果、無縁化した社会が登場した。元来社会とは、赤の他人同士が誰かのために健全に傷つく仕組みであり、傷の再分配構造だと考える。

抱樸とは、出会いにおける傷を必然とし、驚かず、いや、それを相互豊穣《ほうじょう》のモメントとする。

2．その人をその人として

ホームレス支援と言われる。しかし、世の中にホームレスという人はいない。「ホームレス」は状態を指す言葉にすぎない。個人やその人格を表すものではない。ゆえにホームレス支援と言っても、実際には、「奥田知志さんの支援」つまり、名前のある個人の支援ということになる。

私たちは「名前のある個人」と出会っている。どこまでも「個人」に対する支援にすぎない。

一方で現実の社会は、制度ごとの縦割り状態となっている。

「障害者の○○さん」「療育B2の○○さん」あるいは「要介護3の○○さん」「後期高齢者の○○さん」「シングルマザーの○○さん」という言い方に私たちは慣れてしまった。それは、その人の「一部分」を指しているにすぎない。しかし、これに違和感を感じない社会が常態化した。それぞれの分野で専門的な取り組みや制度が整えられてきたことは、悪いことではない。ただ、注意しなければならないのは、制度はその人を助けるための「道具」にすぎないということ。それぞれの「道具」は、その人の「一部分を担う」にすぎない。

こんなことがある。「住宅確保要配慮者」は国土交通省の言葉。国土交通省は、二〇一七年「住宅セーフティネット法」の改正を行った。「生活困窮者」「ホームレス」「障害者」「要介護者」は厚生労働省。「刑余者」は法務省。「低学歴者」は文部科学省。呼び名は制度に由来している。

これらの呼称すべてに該当する「一人の人」がいる。「Fさん」である。私はFさんと付き合い、あるいはFさんを支援する。当然だが「住宅確保要配慮者」を支援しているのではない。制度の縦割りは、人間を縦割りにした。そして、社会をも分断した。制度ごとの仕組みは、無駄も多く、制度と制度の谷間に落ちる者も現れた。トータルなケアが受けられず、偏った支援に甘んじざるを得ない者も。さらに、困窮者側が制度に自分を合わせざるを得ないようなことさえ起こっている。

また、このような縦割りは、国や行政の制度の問題に限らず、民間資源やＮＰＯなども同様の事態となっている。ＮＰＯ自らが「ホームレス支援団体」や「障害者団体」と自称する。「専門分野」を持つことは悪いことではない。だが、その自己限定が人をトータルに支えることの支障になっていないか。目の前の当事者の一部だけを取り出すことに終わっていないか。

「抱樸する」とは「その人をそのままで受け止める」ということ。人を「属性」や「リスク」で見ないこと。

個人に合わせた支援計画を立て、トータルにサポートする。支援者は、「そのままのその人に伴走する」。これが第一の使命（ミッション）である。

当然、使える制度はすべて活用する。支援者には、各制度に関する専門知識が求められる。

繰り返すが、制度は手段であって目的ではない。制度に個人を合わせるのではなく、その個人の課題を包括的に捉え、総合的なプランを作成し、制度を利用するのだ。

抱樸の目的は、「その人が個人として、あるいは自分として、自分の人生を自分らしく送ることであり、その人がその人としての幸福を追求する手助けをすること」である。

3.「包括型NPO」あるいは「ダイバーシティ型NPO」として

一人の個人の中には複合的な問題が存在している。その人の家族にも同様の事態が起こっている。さらに、その個人や家族が暮らす地域社会にも課題がある。

「個人・家族・地域」を「まるごと」捉え、対応するための仕組みが必要なのだ。

NPO法人抱樸は、「ひとりの人を大事にする」ことから始まった。最初に「事業計画」があったのではない。「ひとりの人」との出会いの中で課題を見出《みいだ》し、一つひとつに対応する中で様々な仕組みを作ってきた。

おなかの減った人には炊き出しを。着るものがない人には着物を。宿のない人には家を。病院に付き添い、保証人が立てられない人のためには保証人制度を。

抱樸館を建て、作業所、介護事業所、レストラン、職業訓練事業所、刑務所出所者の支援、生活自体のサポートの仕組みを構築してきた。

国や行政、地域資源、企業とも連携しつつ総合的、協働的に対応してきた。

すべては、「出会った個人、そのひとりを大切にすること」の積み重ねの中で進んできた。

例えば「抱樸館事業」は、無料低額宿泊所として運営されている。「社会福祉法」の第二種社会福祉事業という位置づけではあるが「制度としての施設」ではない。ゆえに補助金もなく、経営的には非常に困難な状況にある。

なぜ、制度を使わないのか。例えば、高齢者施設として運営した場合、障害者施設として運営した場合、各々の制度からの補助金や保険収入が入る。経営的には有利だが、「制度」を利用するための資格や認定が必要となる。

また、制度ごとに決められた同じ属性の人、すなわち制度ごとの認定や資格を持った人しか入れない施設となる。高齢者施設、障害者施設など、名称のごとく「単色」のものとなり、多様性は失われる。対象者以外の人が利用すると補助金の目的外使用となり、問題となる。

抱樸館は、経営的なリスクを負いつつも「誰でも入れる」ということに重きを置いた。抱樸館は、その人をそのまま引き受ける。入居の条件を極力付けない（専門施設ではないので医療や介護など専門的なケアを必要とする方などは難しい）。

抱樸館はこれまで若者、男性・女性、高齢者、さらに地域で暮らす方々の一時的な避難場所とされてきた。「誰でも利用できる場所」として抱樸館は運営を続けている。

抱樸館は、「ホームレス支援施設」ではない。

そして、このような施設の在り方自体が「抱樸とは何か」を体現していると言える。抱樸館では、職員による生活支援をベースに、就労支援、介護、居住支援、金銭管理支援、投薬管理支援などなど、多岐にわたる伴走型支援が実施されている。

また、六年前から始めた子どもの支援の在り方もまた抱樸らしい。「子ども支援」と言えば、とかく「子ども食堂」や「学習支援」ということになる。それはそれで大切だが、NPO法人抱樸の実施する「子ども支援」は、「子ども家族MARUGOTOプロジェクト」の名称で呼ばれている。すなわち「子どものための世帯まるごとの支援」を実施してきたのだ。

一つの家庭の中に多くの課題が存在する。このような家庭が実際に、地域には少なくなく存在している。不登校の中学生、引きこもりの青年、鬱《うつ》を発症し寝たきりの母親、失業中の父親、それぞれの困難を抱えた人々が一つ屋根の下に暮らす。

地方行政の枠組みで言うと、不登校の中学生は教育委員会、引きこもりの兄は子ども家庭局、鬱状態の母親は保健福祉局、失業中の父親は労働局となる。一つの家庭の中に役所が「まるごと」入っているような状態だ。

このような現実に対し、子どもだけを取り出し「学習支援」を実施しても、あまり意味はない。多様な課題を包括的に引き受け、子どもへの支援と共に家族全員に対する包括型で一体的な支援を提供することが必要となる。

それぞれの課題を担当する専門部署は縦割りでも、その家族に対してまるごと関わり、総合的な支援プランを進めるための相談役、コーディネート役が必要であった。また、制度ではカバーできない「隙間」を埋める新たな仕組みも必要で、そのような創造的な部分はＮＰＯ法人抱樸が独自に創り出した。

「子ども家族ＭＡＲＵＧＯＴＯプロジェクト」は、そのような現実を「包括的に支援する」ために生まれた。地域資源との連携と共に、ＮＰＯ法人抱樸の多様性をフルに活用して対応している。

子どもの笑顔は、親の笑顔とセットで成立する。親自身が育てられていないこともあり、親が育ち直しをする中で、子育てに向き合うという「社会的相続」を創造することが課題だった。

現在ＮＰＯ法人抱樸は二十七の部署を有している。正規職員は約七十名。契約職員を入れると百名の大所帯となった。

なぜ、これだけ拡大したのか。それは、すべて「ひとりの人との出会い」から始まった。私たちは、まじめに「出会った責任」ということを考えてきた。その出会いの中で確認された

「個々多様な必要」への対応を具現化してきた。地域資源や制度、行政と協働しつつも法人内に様々な部署を立ち上げてきた。

この包括性や総合力、そして自由さがNPO法人抱樸の最大の強みであると言える。

4．「まるごと」へ向かう社会の中で

最近になって、「制度の縦割り」ではうまくいかない人間の現実を見つめ、その個人を「まるごと」引き受け解決しようとする模索が、国のレベルでも始まった。「我が事・丸ごと」は厚生労働省の言葉だが、今後国土交通省、厚生労働省、文部科学省、法務省の壁を越える発想となる、ならざるを得ないと思う。

この「我が事・丸ごと」という言葉は、抱樸にとって「我が意を得たり」というところだ。ただ、「我が事」の強調が「国の責務の曖昧化」につながることがないように気をつけなければならない。

ひとりを包括的に支援するための国の責務とは何か、地方行政の責務とは、地域の役割とは、民間団体の役割とは何かが、一層問われる時代になる。

それらを「まるごと」生かしていく体制をどう作るのか。

「全世代型地域包括ケア」や「生活困窮者自立支援」などは、まさに対象者を絞ることなく対応する在り方の模索だと言える。今後、地域共生社会を目指す重層的支援体制の整備も計画されている。

そのために、包括的で総合的な働きができるマルチタイプのＮＰＯが、地域では必要となる。抱樸の歩みは、「ひとりの人をそのまままるごと受け止める」ことから始まった。働きは総合的なものとならざるを得なかった。それは現場の苦闘が育んだ結果だ。抱樸は、現在の「まるごと」が必要とされる時代のニーズに合致した稀有《けう》な存在となるだろう。

抱樸については、現在も「ホームレス支援団体」と紹介されることが少なくない。ホームレス支援のイメージも「炊き出し活動」にとどまっていることさえある。

そもそも「ホームレス支援」自体が、複合的で総合的なものであったことは先にも述べた。当初から「炊き出し、アパート、就職」という三点セットにとどまらず、必要なすべてのことをやってきた。結果、すでに三千五百人が自立。自立率九割以上、生活継続率九割以上を維持してきた。

しかし、現在の抱樸は、それ以上の多種多様な部署が精力的に働いている。予算面においてもホームレスに関連する支出は全体の三割程度。総合力を生かす時が来ている。

世界は「単独化」が進んでいる。ヨーロッパにおける「移民排斥」や「自国ファースト」を掲げるリーダーの跋扈《ばっこ》。「自分のことだけ」と恥ずかしげもなく胸を張る政治家にうんざりする。

抱樸は「人は多様である」ことを証明してきた。この多様性の尊重＝ダイバーシティが今日の分断された社会においては重要な観点となる。ダイバーシティとは、「幅広く性質の異なるものが存在する状態」や、その「相違点」を積極的に捉えるという在り方を意味する。

抱樸は、「ひとりを大切にする」という一点から、そのひとりの中にある多様性を尊重し、ひとりを大切にするための多様な社会資源との協働を構築してきた。

抱樸は、これまで以上にこの多様性を生かす団体となる。それは「包括型ＮＰＯ」あるいは「ダイバーシティ型ＮＰＯ」とでも言うべきものだ。

このような在り方の意義を今後も追求していきたい。

抱樸も「各部署縦割り状態」になりかねない。それを乗り越えるには、どうすべきか。原点に返ることだ。

「事業連携」を第一に目指すのではなく、丁寧に「ひとりの人との出会い」を大事にし、「このひとりの個人の幸福とは何か。その人の幸福追求をいかに応援するか」を真剣に問うことから始まり、そこから事業連携を進める。個々のケースがダイバーシティを促進させる。

ＮＰＯ法人抱樸は、ひとりとまるごと出会いたい。そのひとりの家族とも、まるごと出会う。人が分断されず、そのまま、まるごと生きていける地域共生社会を創造するために、ＮＰＯ法人抱樸は、その果たすべき使命（ミッション）を今後も担いたい。

私には夢がある――ある住民説明会における住民代表の言葉

（2019/12/04 note）

各地で住民反対運動が起こっている。南青山では、子どもの施設を巡り、京都府では、困窮者施設を巡り反対運動が起こった。それらに限らず、全国で施設を巡る反対運動が起こっている。最近は、保育園さえ反対運動にさらされている。

私自身も、何度も反対運動を経験した。「地価が下がる」。テレビが伝えたその言葉にあの日の記憶が鮮明によみがえる。「迷惑施設」と住民は言う。しかし、地域から迷惑を引いたら何が残るだろうか。若者たちは、「これ以上家族に迷惑をかけたくない」と路上に踏みとどまる。確かに、家族だけではしんどい。しかし、家族から迷惑を引いたら何が残るのだろうか。

そんな思いを抱えつつ、「こんな住民説明会」が各地で起こる日を待ち望む。

そんな夢を私は見ている。宮澤賢治《みやざわけんじ》の「雨ニモマケズ」を想《おも》いつつ……。

住民を代表して、皆さんがこの町に来られることを心より歓迎します。

雨にも負けず、風にも負けず、虐待する親にも、世間の冷たさにも負けず生きてこられた。満足に食べることもできず、何度も裏切られ、心は傷つき、「欲」を持つことさえ諦め、反抗を試みるも、生き残るために「いい子」を演じた。怒らず、静かに我慢して、怖いお父さんの顔色を窺《うかが》い生きてきた。

でも、この町では子どもは勝手でいいんです。「嫌だ」と言っていいんです。もう我慢する必要はありません。

一日一食ままならず、居場所もなく、「自分はどうでもいいいのちだ」と言わせたのは大人です。どうでもいい、それは事実ではありません。

神様はどうでもいいいのちをお造りになるほどお暇ではないからです。

生きるために君たちは学んだのです。学校の勉強よりも、もっと深く実践的な何かを。

そんな努力を「ずるがしこい」と言い、君たちを「危険だ」と言う浅はかな大人が間違っているのです。この町にはそんな大人はいません。
つらい日には、施設の松を眺め、深夜の路上で街灯を見つめたあなた。つらかったと思う。でも、あなたにしか見えない大事なことがあります。私たち大人は、それから学ばねばならないのです。だから、君たちがこの町には必要なのです。

東に病の子がいると聞いても「親の責任だ」と助けない社会は、「自分が病気になっても助けてもらえない」との確信を君たちに与えたのです。この町は違います。絶対に見捨てません。

西に疲れた母親がいると聞くと「お母さんなら頑張りなさい」と言う社会。育てられた経験のない母親は、そもそも何をしていいのかわからないのです。この町は違います。一緒になって子育てを担います。高齢化した町には、子育ての達人がいます。どうぞ、安心してください。

南に死にそうな人がいると聞くと「自業自得だ」と切り捨てる社会。この町は違います。
あるホームレスのおじさんは「畳の上で死にたい」と言っていました。その後、アパートに入った彼は「最期は誰が看取ってくれるだろうか」と言いました。数年後、この町の人に見守られ、彼は幸せに逝きました。「幸せ」は不謹慎かも知れませんが、この町には看取ってくれる人がいるので死も怖くないということです。

北に住民反対運動が起こったら、「つまらんことはやめろ」と言います。この町には反対運動はありません。そもそも地価は下がりません。みんなが住みたくなる町をつくるからです。泣いている子、笑顔を忘れた母親がもう一度笑える町。住みたい町の地価は上がります。

君たちは、どれだけ泣いてきたのでしょう。「不良少年」と叩《たた》かれ、褒めてくれる人もいなかった。しかし、苦難を乗り越えた君たちを私たちは尊敬します。「えらい」と思います。君たちから「生きること」を学びたいと思っています。

迷惑をかけてもいいのです。こちらの迷惑も引き受けてください。

泣いている子ども、苦労した母親、自分を責めている父親、みんなこの町においでなさい。一緒に生きましょう。

そういう人に、私はなりたいのです。

もしも宗教施設の一割が困窮者の窓口になったとしたら

(2019/12/18 note)

宗教福祉プラットフォームの創設を提言するために、二〇一七年九月に、『仏教タイムス』という週刊の新聞に書いた記事である。

あれだけ話題になったにもかかわらず、今年も九月一日に子どもの自死が相次いだ。この国の闇は、格差であり、差別でもあるが、私は「子どもが自らいのちを絶つ」ことが最も大きな闇だと思っている。

子どもは、泣いていいし、逃げていい。なのに、なぜ子どもたちは「助けて」とも言わずに死んでいくのか。

それは「大人(社会)が助けてと言わない」からだ。

私たちは、子どもに「他人に迷惑をかけず、一人で生きていける人が立派な大人」だと思わせてきたのではないか。しかし、それは「うそ」である。なぜならば、人は一人では生きていけないからだ。大人は、それを隠している。

国は、二〇一五年「生活困窮者自立支援制度」を施行させた。「制度の縦割り」を越える「包括的相談事業」であり「断わらない相談」を原則とした画期的な制度であった。

結果、全国に一千か所余りの相談事業所が設置された。

だが、一億三千万人が暮らすこの国で一千か所の相談窓口は、あまりにも「貧弱」と言わざるを得ない。

国内のコンビニの数は五万五千以上あると言われている。寺院の数はそれ以上の八万。その他にも日本には地域に根ざした数多《あまた》の宗教施設が存在する。

もしもこのうちの一割の宗教施設が困窮者の窓口になったとしたら、国が創設した相談事業所の十倍以上の社会資源が誕生することになる。

数だけの問題ではない。

とかく国が進める「困窮者支援事業」は、経済的困窮への対応に特化される傾向にある。就職は、確かに重要な課題である。しかし、そもそも「人は何のために生きるのか」あるいは「人は何のために働くのか」という根本的な議論がなされないまま「制度」だけが先行していくとすればいかがなものか。

私は厚生労働省社会保障審議会の「困窮者支援制度」に関する議論に参加している。宗教者（牧師）でもある私は、「人生の意義」など、人間の本質に関する議論が足りないように感じる時がある。それこそが「宗教の役割」なのだとも考えている。

しかし、国の会議ではなかなかそのような話題にはなりにくい。

宗教は今後、日本社会において生き残ることができるか、切実な局面にいる。困窮者支援をすることが、「宗教の付加価値となる」という意見もあるが、それは違う。

そもそも宗教が「自己保身」のために「困窮者支援」を行うことは「動機不純」である。そうではなく「困窮者支援」はそもそも「宗教の本務」なのだ。仏教はもとより宗教界が立ち上がるならば、多くの困窮、孤立状態にある人は、助かると思う。

宗教の役割とは何か。

それは「人間の弱さ」を前提とした社会をつくることにある。

私は、宗教者とは「完成された強い人間」ではなく、「神仏に頼らないと生きていけない人間であることを正直に認めた者」だと考える。

今日の社会は「強くなること」だけを求めてきた。

この潮流に対する「対抗文化（カウンターカルチャー）」として宗教界が立ち上がるべきだと思う。

どこから手を付けていいかわからないが、混沌とした中でも何かを始めなければならない。

中学生がホームレスを襲った時から このプロジェクトは始まっていた

(2020/02/12 note)

『西日本新聞』が以下の記事を書いてくださった。

実は、この事件が起こったのは「希望のまちプロジェクト」予定地のすぐ近所。あの時中学生だった彼らは、今や四十代半ばになっている。

野宿者は、確実に減った。自立支援が功を奏したと言える。だが、孤立状態にある人、心配してくれる人がいない人、帰る場所のない人、つまり「ホームレス」は、増え続けている。この三十年間で「時代が路上に追いついた」そんな感がある。

だからこそ、「希望のまち」を創らねばならない。
多くの方々のご支援をお願いしたい。

北九州市で三十年ほど前、中学生がホームレスを襲う事件が起こった。深夜の投石に始まり、ブロックを投げ込むまでエスカレート。相談を受けたのが現在はNPO法人「抱樸《ほうぼく》」の理事長を務める奥田知志《ともし》さんだ

▼「許せない」と奥田さんがいきり立つと、泣きついてきたホームレスがなだめた。「あの中学生は家があって親がいても、心配してくれる人がいないんじゃないか。俺はホームレスだから、その気持ちが分かるけどなあ」

▼ホームレスとは家がない以上に心配してくれる人がいない、つまり無縁や孤立の人である。奥田さんは襲撃した中学生もある種のホームレスだと思い至り、困窮者支援で「関係」づくりを重視する原点になったそうだ

▼そんな奥田さんの抱樸が壮大な試みに挑む。北九州市の負の遺産、暴力団工藤会本部事務所の跡地に福祉拠点を建設。困窮者と障害者の就労支援や不登校の子の学習支援を行い、子ども食堂も開くという

▼中村哲さんと関わりのあった奥田さん。アフガニスタンでの壮大な活動を羨望《せんぼう》のまなざ

しで見ていたが、中村さんの突然の死に直面し「この悲しみを自分の生き方にどう生かすかが宿題」と痛感した。その答えがこの施設という

▼かつての恐怖の館をさまざまな境遇の人が「関係」を結び直す共生の城に再生する。志とはこうやって巡っていくものか。抱樸は土地代などで寄付を募っている。志を応援したい。

（『西日本新聞』二〇二〇年二月八日付朝刊「春秋」　※「▼」は記事の表記のまま）

なぜ希望の「まち」だったのか――抱樸三十二年目の挑戦

(2020/03/05 note)

1.「個別支援」

抱樸《ほうぼく》が活動を開始して三十二年となる。

これまで私たちは「個別支援」に特化した活動をしてきた。つまり、出会った「その人」のことを考えてきた。私たちはこれまで何度も「住民反対運動」に遭った。自立支援センター、抱樸館福岡、そして、抱樸館北九州。いずれも「迷惑施設」として手痛い反対を受けた。

偏見や差別がその根っこにあるのは言うまでもない。一方で実は、「反対されても仕方ない」という気持ちが今の私にはある。なぜならば、私たちが行ってきたのはあくまで「個別支援」であり、そのことが「この地域にとってどんな意味があるのか」については、正直あまり考えてこなかった。

ともかく目の前にいる困っている人を支えることに奔走していた。とても地域のことまで手が回らなかったと、言い訳することもできるが、「地域」からすれば、「それは奥田さんがやりたいことをやっているだけでしょう」ということになる。

現に、住民説明会においてこの発言は何度も聞かれた。

2. 地域とは何か？

地域とは何か。

第一に「最大の受け皿」だと言える。どれだけ施設を作っても最終的には地域で暮らすことになる。抱樸が運営する施設の居室は百五十室ほど。現在、北九州市内で自立生活をしている人は一千二百人を超える。つまり、千人以上が施設を経て地域で暮らしている。

第二に「地域が困窮者を生み出している」ということ。

困窮する要因はそれぞれだから、少々言いすぎかも知れないが、残念ながら地域が困窮する住民を支え切れず、時には排除さえしたのも事実だ。「困っている人」がいつの間にか「困った人」と呼ばれるようになる。そして、排除が始まる。

だから「対個人」の支援だけではだめで、「対社会」の支援をどう構築するかが抱樸の課題となった。

抱樸のミッションは、
①一人の路上死も出さない
②一人でも多く一日でも早い自立を
③ホームレスを生まない社会の形成
の三つである。

今回、挑戦する「希望のまちプロジェクト」は、第三のミッションの具現化である。

私たちは、これまでの反省を踏まえ「地域創造」へと動き出す。どのような地域、どのような社会が必要なのか。住民の方々と共に考えたい。

3．希望のまちプロジェクト

「希望のまちプロジェクト」の趣意書には、このような言葉が書かれている。

希望のまちは、孤立する人がいないまちであり、助けてと言えるまちです。希望のまちは、お互い様のまちであり、助けられた人が助ける人になれるまちです。すべての人に居場所と出番がある全員参加型の地域です。希望のまちは、ひとりも取り残されないまちを目指します。

暴力団の問題のみならず、貧困や格差、孤立が広がる現在の日本において「希望のまちをつくる」とは何をすることなのか。抱樸の挑戦が始まる。

しかし、「個別支援」と「まちづくり」は、「順序のある同一性の事柄」とも言える。まちづくりは大切だが、それはやはり「ひとりの人との出会い」から始まる。そのことだけは忘れてはならない。

さあ、希望のまちプロジェクトが始まる。

まずは、土地の購入から。土地の購入には一億二千五百万円が必要となる。

一切は寄付による。このプロジェクトに参加したい方。

まず、寄付から始めてもらえないだろうか。

オンライン対談より

コロナ禍を生きる②

(2020/05/30 YouTube)

北九州の町で

奥田　今日の特別ゲストは、茂《も》木《ぎ》健《けん》一《いち》郎《ろう》さんです。茂木さん、どうぞ、お入りください。

茂木　失礼します。奥田さん、大変な状態だと思うんですけど、ほんと、応援したいと思ってるんで。いろいろお話しさせてください。

奥田　ありがとうございます。ぜひ、たくさんしゃべってください。私と茂木さんは、今からもう十一年前になるんですが、ＮＨＫの番組でお会いすることができました。二〇〇九年三月に放映された『プロフェッショナル　仕事の流儀』。茂木さんも私も頭がもうちょっと黒かった頃にお会いしまして、それ以来、ほんとに出会いを大事にしてくださってるのが茂木さんです。改めて感謝します。何かあるたびに「茂木さん、応援してくださぃ」って連絡すると、すぐ応えてくださる。そんな茂木さんです。

茂木　だって、大事なことされてるしね。今ね、北九州はコロナの感染がすごく増えてると報道されてるんですけど、どんな感じですか。

奥田　一旦希望が見えたところで、もう一回ドンて落ちましたから。希望と絶望って、希望そのもの、絶望そのものじゃなくて、落差の問題が結構あってですね。一旦落ち着いたと安《あん》堵《ど》した分、今回の感染数の増加は、ショックが大きいです。前回、第一波が来た時と同じぐらいの数になってきています。しかもどうも市中感染してるって言われていて、場所が明確なクラスターでない分、これも不安が広がっています。北九州は七つの区があるんですけども、私が住んでる八《や》幡《はた》東区だけはまだ感染者出てないんです。だけど、残りの六区全部で出ている。どうも、一つの感染源から広がってるって言うよりかは、市中でどんどんうつっていってるっていう感じです。

Memo

対談の相手
茂木健一郎〈もぎ けんいちろう〉さん

一九六二年東京都生まれ。東京大学大学院理学系研究科物理学専攻博士課程修了。脳科学者・作家・ブロードキャスター。理化学研究所、ケンブリッジ大学を経てソニーコンピュータサイエンス研究所シニアリサーチャー。二〇〇五年『脳と仮想』（新潮社）で第四回小林秀雄賞、二〇〇九年『今、ここからすべての場所へ』（筑摩書房）で第十二回桑原武夫学芸賞を受賞。著書はほかに『脳とクオリア――なぜ脳に心が生まれるのか』（日経サイエンス社、一九九七）、『結果を出せる人になる！「すぐやる脳」のつくり方』（学研プラス、二〇一五）、『成功脳と失敗脳――脳が震えるほど成功する方法』（総合法令出版、二〇一五）、『5歳までにやっておきたい本当にかしこい脳の育て方』（日本実業出版社、二〇一七）、『クオリアと人工意識』（講談社現代新書、二〇二〇）などがある。

（中略）

茂木　この番組見てらっしゃる方々、奥田さんは、もともと牧師さんで、『プロフェッショナル　仕事の流儀』に出てくださって、その時もね、ＮＨＫのスタッフと、職業を「ホームレス支援」とするか「牧師」って出すか、いろいろあって。でも、あくまでも「牧師」ってのが元にあって活動されてるんですよね。

　皆さん、この奥田さんて方ね、『プロフェッショナル』にも出たし、すごい有名で、スターになってしまうと、地道な活動とかちゃんとやる暇あんのかなーって思われるかも知れませんけど、僕、忘れもしません。小倉に仕事があって、小倉のホテルに泊まって、仕事があって日帰りで小倉から京都行って、戻ってきて、十二時ぐらいの最終の新幹線で小倉駅着いて、駅からホテルまでの暗い道を歩いてたら、向こうからなんか見覚えのある人が来て、「あれ？」と思ったら「奥田さんだ！」あの寒い夜空の中、小倉駅のところで見回りしてたもんな。ちゃんとやってるんだーて思って、あの時は。

奥田　私もね、あの時はびっくりしました。夜間のパトロールの日だったんですが、「この人、多分、行く場がないんだろうな」という感じの人がいて、その人の後ろをついて歩いていたところだったですね。ずーっと歩いていたら、前から大きな黒い鞄を背負った人が近づいてきて、どっかで見た人だなあ、と思っていたら、茂木さんだったんですよ。

茂木　えっ？　じゃあ、僕のせいで、その人見失っちゃったりしなかった？　大丈夫だった？

奥田　見失いました。だけどね、後日出会いましたから大丈夫でした。はい。

茂木　やっぱり、困ってた方だったたの？

奥田　そうですね。以前は、ホームレスって言うと、公園で小屋を建ててるとか、段ボールで家作ってるとかでした。リーマンショックの後ぐらいからは、若い人たちがホームレス化し始め、彼らはそういう定住型ではなく、移動型でした。格好からして、普通の格好をされているので、すぐにはよくわからない。昔のホームレスの方はわかりやすかったです。変な言い方ですけども。

茂木　そういうの、奥田さんはわかるんですね。

奥田　そうは簡単ではないけれど、あの日は、「この人行き場がないんだろうな」って感じて、後をつけたという感じです。だって、十二時過ぎ、つまり、終電の後、駅に向かって歩いている人は「当てのない人」です。茂木さんも最終だったでしょう。

茂木　京都から最終で帰ってきて。だから僕もこんな夜遅く、ちょうど日付が変わるか変わった直後ぐらいかで、寒いしさ、誰もいないと思ったら、奥田さんがいるんだもの。

奥田　（笑）あれ、真正面から出会ったから良かったけども、後ろからだったら、僕、茂木さん見ながらね、この人、行く場がないんじゃないかなって、後ろ追いかけてたかも知れません（笑）。

茂木　いやあ、ほんとに、皆さん、この番組見てる方、こういうのわかんないからさ。立派な活動してるとか言っても、実際にどうなのかわかんないし。僕はね、ずっと知ってて、この人は絶対信用できる人だってずっと思ってるけど、あの時は本当にびっくりしたし、うれしかったしね。

「家族機能の社会化」

茂木　奥田さん、自分では言いにくいかも知れないですけど、教会の横に……。あれが抱樸《ほうぼく》館て言うんだっけ。

奥田　そう、抱樸館。教会の真正面、真向かい。

茂木　そこにホームレスの方々が、いらっしゃれるようにしてくださってるんですけど、無縁て言うか、親戚縁者がいらっしゃらない方なんかは、奥田さんの教会の一角にその方々の、えっと、あれ何て言うんでした、遺影？　何て名前？

奥田　「記念室」っていう名前にしてるんですが、納骨室ですね。ホームレス状態で亡くなると八割、九割の人は、家族が引き受けないんです。自立後、地域で十年、二十年暮らした後に亡くなったとしても、家族にお葬式を出してもらえる人はほとんどいない。お葬式自体は、教会の礼拝堂でやりますが、主催は抱樸で創った「互助会」が担います。「互助会葬」って言います。毎月会費を五百円収めて、バス旅行に行ったり、お誕生会をしたり、カラオケやサロン活動もやっています。また、互助会の世話人が見守り活動をしています。その互助会の最も特徴的な活動が、「互助会葬」です。お葬式を出せない人、出してくれる人のいない人のお葬式を全部やってくれます。そういう仕組みを作って、今地域で三百人ぐらいが加入しています。（画面の写真について）これが記念室の写真です。私が小さな骨壺《こつつぼ》持ってますけども、下に穴が空いてるでしょう？　床下に直径一・五メートルぐらいある大きな壺がありまして、その壺に全員が入っています。すでに百五十体ぐらいになっています。

お葬式が出せないという問題は、コロナの前から大きな社会問題でした。そもそも人間として、最期は看取ってもらいたいし、弔ってもらえないと嫌じゃないですか。誰かに思い出してほしいし。

動物と違って人間だけが弔います。これは文化人類学における動物と人間の違いだと言えます。さらに、従来、お葬式は家族の仕事でした。この家族と縁が切れた人、つまりハウスレスじゃなくてホームレスになった人は、お葬式を出してくれる人がいない。実は、その最期のことを担う家族がいないという理由で、アパートの入居を拒否されるということが起きています。国土交通省が調べたところ大家さんの八割が、単身者、特に単身高齢者にはアパート貸したくないと答えています。

茂木　ああ。なんかあった時に、困っちゃうんだ。

奥田　そうそう。この頃ね、それを事務的な言い方で「死後事務」って言うんですけど。

茂木　誰もしないと、大家さんにかかっちゃうってことですか。

奥田　大家さんにかかるんだけど、厳密に言うと、さらに問題があって、その人が残したものは、その人の財産です。「残置物」って言いますが、それについては、法的には家族しか処分できないという問題もあります。互助会は、それを本人の生前の同意の下にやってあげます。そういう仕組みも作っています。

茂木　これでアパート貸してもらえる?

奥田　そう。アパート入居拒否がなくなったんですよ。

茂木　こういうことこそ、全国で知ってほしいよね。

奥田　それは「家族の仕事」だって、日本の社会は押し付けてきたけども、もう家族にそんな力がなくなっているとすればどうするのか。単身者、家族がいない人たちが多くなった時代なんですよね。抱樸の三十年の活動を一言で言うと「家族機能の社会化」だと思うんです。家族の機能をいかに赤の他人で担うか。抱樸のことを福祉団体だって言う人も多いんですけど、実は、福祉の制度を使っている場面は少ない。お金も入ってこない。なぜなら、家族がやることとって、基本タダじゃないですか。例えばごはんを食べるにしても「はい、今日は一人三百五十円」なんて言わないわけだから。家族の仕事、家族のサービスは「無償」ですね。制度まで行かない、従来家族がやっていたところを社会化するっていうことは誰が担うのか。最低限の費用は発生するけども、しかし、そこを支え合いでやっていこうという、それが抱樸なんですね。家族と制度の隙間が空いちゃった時代なんで、家族と制度の隙間を埋めるっていうのが、抱樸の働きになっているんですね。

茂木　NHKのプロデューサーだったら「そろそろ茂木、脳の話、一発入れとけ」とか言うと思うんだけど、いわゆる「セキュアベース」「安全基地」ってね、チャレンジするためにも絶対必要なことで。いわゆる一般の方々は、ホームレスだとか身寄りがなくなるってのは、自分には関係のないことだと思いがちだから、冷たかったりするんだけど、でも、いつ誰に降りかかるかわからないことだから、この世の中では。だから、安心な何か、抱樸みたいな仕組みがあるってことで、また、じゃあ頑張ろうって思えるし。実際、奥田さん、どんな方でも、そういうふうになることって、あるってことだよね。

奥田　ありますよ。絶対大丈夫って思いたいけど「絶対」は絶対ないんです、世の中にね。だから、「あの人たち」って言って、他人事に見ていたことが、明日は我が身になるっていう時代を生きています。そのことを認識することは、とっても大事。でも、茂木さん、逆に訊《き》きたいんですが、安全基地みたいなものは、その要件っていうのはどういうものなんですかね。

絆とソーシャルディスタンス

茂木　今日奥田さんと絶対その話をしようと思ったんだけど、やっぱり、絆《きずな》なんですよ。他でもない、絆。ほらほら、奥田さん、言ってるじゃないですか。名言ですよ。奥田知志の名言。絆という言葉には傷ということが。それ、ちょっとお話しください よ。

奥田　わかりました。最初、茂木さんと一緒に『プロフェッショナル』に呼んでもらって、二度目は、東日本大震災の特別編だったんですね。残念ながらスタジオ編がなくなってＶＴＲだけだったんですけども。当時、東日本大震災では、絆っていうことがものすごく強調されました。いわゆる絆ブームだったんですよね。とってもいいことだけども、なんかね、私は、絆っていうことが非常に美化されて語られているように感じていました。

現実との間でね、齟齬《そご》って言うか、距離感がものすごくあったんです。だって、正直、みんなそれが嫌で、無縁化したんですよね。人と絆を結ぶのが嫌だから。一言で言えば「鬱陶《うっとう》しい」「煩わしい」「人と関わるとめんどくさい」。だから僕、茂木さんに訊きたかった、今の「ソーシャルディスタンス」って、これって大丈夫ですか。どちらにしても、コロナの前、我々は、すでにある意味「ソーシャルディスタンス」状態になっていた。人との距離をどう空けるかっていうことを積極的に考えていた。そこに、東日本大震災が来て、絆って言い出した。でも、私は「絆って言っている人は麗しい」そんなふうに感じました。別に批判してるわけじゃないんだけども。でも、絆だって思って、現地に支援しに行った人は、ものすごく大変だったと思うんですよ。つまり、そんなきれいじゃない、現場は。そんな現実を、僕ら三十年間現場で見てきたから。

絆っていうのは、これ、しゃれなんだけど、平仮名で「き」、「す」に点々で、「な」だから、「きずな」って書いたら、上の二文字「きず」でしょう。絆を結ぶとか絆をつなぐことは、同時に傷を引き受けるってこと、傷つけること。それを覚悟しなければならない。そうは言えども、私はキリスト教の牧師なんですが、絆を全部一人で引き受けたらイエス様になっちゃうんですね。最期、十字架にかかって人のために死ななければいけない。それ、ちょっと僕、無理なんですね。私なんかは、臆病者だから、その手前で逃げる。一人の人がすべて、傷を引き受けると、これはやばい、共倒れになる。だから、傷をどう再分配し、どれだけ多くの人が傷ついていくかっていう仕組み作りが必要だってこと。

抱樸がやった家族機能の社会化ってのは、家族の機能なんです。そう言うと、日本人は家父長制が頭に残っているためか、「養子縁組の話ですか」みたいなこと、訊いてくる人いるんですよ。そんな重い話じゃなくて、一人の人が本当の親子みたいにやっていくんじゃなくて、たくさんの人が傷を分配していく。包丁でズバって切られたら死んじゃうけども、ちょこっと傷つくぐらいだったら引き受けます、っていう人を作っていく。私にとっての「安全基地」は、つながるベースのようなものです。しかし、それは傷を伴う。これは避けられないですね。

誰もがだめな人間

茂木　僕、奥田さんのいろんな言葉が心に残ってるんですけど、「逃げおくれた」っていう言葉が、なんか、心に残ってて。つまり松《まっ》ちゃんとかね、すごいめんどくさい人だったじゃないですか。もう、お酒は飲んじゃうわー。だけど、松ちゃんみたいな人を見て、ご縁ができちゃうと、めんどくさくても、引き受けていかなくちゃいけなくて、それを「逃げおくれた」って表現してたのが、すごく愛があって素敵だなって。逃げおくれちゃったから、もう、その人の、その人たちの面倒みざるを得なくなっちゃってるという。

奥田　そうですね。NHKがドキュメンタリー作ると、奥田さんていう、勇気がある、決意に燃えた福祉家が、身を挺《てい》して人を助けてるみたいに見えるかも知れないけど、実は違う。

茂木　そういうところもある。

奥田　いや、それはー。中村哲《なかむらてつ》みたいな人だったら、私はほんと尊敬してたんで、そうだと思うけど、私は違います。勇気があるんじゃなくて、勇気がないからやめられなかったんですよ。要するに逃げる勇気がなかった、逃げおくれた。ほんとはこの道を行くとやばいってのは、長年やってるとわかるんですよね。茂木健一郎さんと友達続けてるとやばいかも知れないみたいな。だけども、「茂木さん、ごめん、もう縁切るわ」って言う、この勇気がない。別にそんなこと思ってないですよ、茂木さん（笑）。

でもね、勇気がないことはだめなことだ、強くなきゃだめだって言い続けた社会の中で、その強さや勇気が、こういう活動続けてる原点じゃなくて、弱さや逃げおくれとか、逃げる勇気がないみたいなもので、ある意味、したたかに一方でズルズルと三十二年間、こういう活動が続いていく。僕は、そういうことだったんじゃないかなって思っています。

茂木　奥田さんとこの教会とか抱樸館とか何回も行って、すごく居心地がいいって安心できるんだよね。なんか、だめな人でもいいって感じあるじゃない。だめなところはだめでもいい、みたいな、さ。

奥田　だってお互い弱い人間だし、こっちも偉そうには言えない。残念ながら立派な人は一人もいない。宗教というものは、そうなんだと思いますが、キリスト教は、基本的に全員罪人っていう前提に立っています。それがいつの間にか、偉そうに、あの人は赦《ゆる》されたとか、この人はまだ赦されていないって、牧師が見てきたようなことを言っている。そうではなくて全員が罪人であり、全員が赦されなければ生きていけない存在、それが人間です。だから、お互い大変。この弱さを是認する、弱さを肯定するということが重要です。そこが抜け落ちて、強くないとだめって言い出すと、やっぱり峻別《しゅんべつ》が始まって、生きていいいのちと、生きたらいけないいのちが分断される。

茂木　僕、今の学生とか若い人としゃべってるとね。役に立たなくちゃいけないとか、有能でなくちゃいけないとか、生産性がある人間じゃなくちゃいけないっていう、思い込みがすごく強くてー。だめな自分とか、社会に溶け込めない自分っていうのを隠そうとしたり、なんか、すごく息苦しい感じがするのよ。奥田さんの言う、ハウスレスっていう物理的に家がないっていうのと、自分がいるべきホームがないっていうのは別問題だとすると、物理的には家があっても、心はホームレスって若者とか、すごく多いような気がして。

奥田　全くそうですね。三十二年前この活動始めた時に、ハウスとホームは違うってことに気がつかされました。これが私にとってはコペルニクス的な転回であり、発見でした。だって、野宿の人の抱えてるしんどさは、家がない、金がない、この二つだって思っていました。だから、まず、居住の支援を行います。アパートに入られた後、訪ねていきます。生活は一変しましたが、独りぼっち部屋の中に座ってる姿は、路上で段ボールの上に座ってる姿と変わらないんですよね。何が欠落していたかって言うと、やっぱり人がいないんですよね。つまり、孤立しているということは、相変わらずなんです。

今回のコロナにおいても、給付金は大事ですよ。特別給付金、住居確保給付金、それと社会福祉協議会が窓口になっている緊急小口貸付金など。ただ、現物とか現金の給付は、大事なんだけども、最終的にはそれだけでは足らない。やっぱり人なんですよ。お金と人っていうのはセットでないといけない。ただ、このコロナの状況というのは、この人の手当てが難しい。感染リスクが出てくる。言ってみれば、生活困窮者の現場っていうのは、濃厚接触なんですよ。

僕もこんな画面を通じて茂木さんとしゃべってるより、「今から東京行きますから」って一緒の場所で濃厚接触しながら話したいが、できない。ネットの世界って、僕みたいにアナログな人は、これでほんとにコミュニケートできてんのかって心配になる。だって顔だけが映ってるけど、例えば茂木さん、今、私がまさかズボンはいてないって、わかってないでしょう（笑）。

茂木　パジャマとか。

奥田　そうそうそう。それが成り立ってしまう世界が、ネットの世界です。対人援助の現場は、そうはいかない。やっぱり人と人とが全身で出会い、密に接触する。それでは感染リスク高くなる。じゃあ、どうするの、っていうところですね。ただ、百・ゼロで考えてはいけない。濃厚接触できないけど、ネットがあるからいいでしょうで、いいのか。新しいライフスタイルだって言われても、そんなに簡単な問題ではない、って言いたいんですよね。さらに言うと、臭いがしない世界でいいのか。これは出会っているのかって、やっぱり思うんですよね。

「リーマンショック」「日比谷派遣村」再び？

茂木　奥田さんの活動って、ずっと意義があったんだけど、おそらく、この危機って、試されてるんだよね、活動がね。今回の、コロナ緊急クラウドファンディングっていうのも、あれでしょう。まず、現状が大変だっていうことは事実なんだけど、今、生活困窮者の方になかなか手が差し伸べられない事態になってるっていうのはそうなんだけど、奥田さんの読みでは、これからもっと事態が深刻になって、そういう方が増えるんじゃないかって読んでるわけでしょう？　どんな予測立ててます？

奥田　大切なのは、今起こっている問題の多くはコロナウイルスによって引き起こされた新しい問題ではないということですね。コロナ状況になって、もともとあった問題が拡大して表出した。災害時においても、経済危機においてもそうなんです。経済危機が来たから起こったんじゃなくて、もともと社会が持っていた問題や矛盾が噴出するんですね。で、私が今一番危惧しているのは、いろいろな給付金が切れるタイミングです。今から十二年前、ＮＨＫの『プロフェッショナル』一回目の取材がホームレス支援現場に入ったのが二〇〇八年十二月。その二〇〇八年九月にリーマンショックが起こり、十二月には、日比谷派遣村が始まった。

あの時と社会の構造はさほど変わっていない。なぜ派遣村状況になったかは、これは非常にはっきりしていて、不安定な就労とそれに付随する居住形態の問題です。つまり、非正規雇用が増えたこと。多くの人が住み込み型の就労、つまり寮付きの就労に従事していた。そういう人々が派遣切りや雇い止めに遭う。すると、仕事と同時に家まで失っちゃうんですね。住宅と仕事が一体化した構造は、経済が回っている時は比較的便利だって、みんな思ってるんでしょうけども、一旦経済がアウトになると、解雇された瞬間にアパートも失うことになります。通常、居住っていうのは、自宅だったら基本問題ない。賃貸借契約の場合、「借地借家法」っていう法律で守られています。つまり、「居住権」があるわけです。しかし、会社の寮は、借地借家法上の住宅ではなく、労働に付加された、寄宿舎です。福利厚生の一環にすぎない。そうなると、労働契約が切れたら、家まで失うことになります。

現在は、住居確保給付金が出ています。コロナの前、比較的仕事が多かったこともあり、それぞれ貯金もある。労働統計を見ても、四月期の有効求人倍率一・三でとどまっています。その直前は一・六ぐらいあったんです。リーマンショックの直前の有効求人倍率が〇・八ぐらいでした。リーマンショック後は、〇・三ぐらいにまで落ち込みました。つまり四人に一人しか就職できないっていうことがその後続きました。今回は、直前比較的いい状況でコロナに入った。少しだけ余力があるのも事実で、今のところホームレスは急増していない。さらに雇用調整給付金も出て、何とか持ちこたえている。でもこの後、「もう、あなた、出ていきなさい」っていう時が来る。仕事と住宅を一気に失う人が多数出ると、派遣村状況になりかねない。早いうちに次の手を打たなきゃならないということで、このクラウドファンディングを始めたわけです。

茂木　それで、集めたお金っていうのは、地域としてはどのあたりで活動されるんですか。

奥田　抱樸が集めているので、抱樸が一億円を使うと思ってらっしゃる方多いと思うんですが、実は違うんです。抱樸も常にお金には大変苦労していますが、クラウドファンディングは、集まったお金を全国十都市のＮＰＯに提供し、そのＮＰＯが各地で「支援付きの住宅」を確保する計画です。長年困窮者支援をされている、私自身も尊敬申し上げている団体さんに資金提供します。例えば北海道のコミュニティワーク研究実践センターさん、仙台のワンファミリー仙台さん、千葉の市川ガンバの会さんなど、現在次々に事業協定を結んでいるところです。

国交省の調べでは、全国で八百万戸以上の空き家があります。なのに一方で、家に入れない人が困っている。これおかしい、どう考えても。なぜ、アパートが借りられないのか。先ほど申しましたように、例えば高齢単身者で言うと、お葬式の問題、つまり死後事務のことで大家さんが貸さないということになる。だったら入居者も大家さんも安心できる仕組みを作ろうと思います。今回、クラウドファンディングで集まったお金を各支援団体に託して、空き家を一括で借り上げてもらう。サブリースって言います。実は、抱樸では、四年前から実験的に始めていました。それがうまくいっている。抱樸が大家さんからサブリースをして、支援スタッフ付きの住宅として貸し出します。現在八十五室を運用しています。

サブリースの良さは、家賃の差額が支援の費用として使えることです。それでサスティナブルな、つまり、継続性のある事業になります。大家さんも、空き家では家賃が入らないわけだから、少し家賃を下げてでも貸したいのが本音です。さらに、個々の入居者に対する賃貸借契約を直接結ぶのではなく、サブリースをする支援団体と結ぶので、大家の負担が少ない。抱樸では、通常の家賃よりも安く借り上げ、生活保護の基準で入居してもらっています。つまり最低家賃で入居してもらう。それでも元々の大家さんに払う家賃と実際の家賃収入に差額が生じます。一定の戸数があれば、スタッフ費用は賄えます。この方式を全国で展開してもらうために、今回のクラウドファンディングで集まった費用は用いられます。

茂木　なるほど。あの奥田さん、僕も確か、支援させていただいた記憶があるんですけど、クラウドファンディング。これ、何だっけ、リターンて。俺、忘れちゃったんだけど。

奥田　リターンはですね、基本的には、活動の報告を出します、というのとー。

茂木　報告が来るんですね。

奥田　あと、十万円以上の方々に関しては、これはそんな価値ないんじゃないかと思うんですけど、奥田知志さんと直接しゃべれるっていう……。

茂木　うれしいんじゃないですか、皆さん。

奥田　なんかよくわかんない（笑）。定額給付金も出ますから、あのー、ぜひですね……。

茂木　そのまま使ってくださいっていうことですか。

奥田　正直、それでこの時期に始めたんですよ。困っている度合いは人それぞれ違うので、自分以外の人への想像力を、ここのとこ働かせていただければと思います。全額とは申しませんから、十万円のうちの一部でも、誰かほかの人のために使わせていただけると、大きく社会は変わります。

茂木　僕絶対、奥田さんと話さなくちゃいけないと思ってたことがあって。このYouTube見てくださってる方って、あるいはその周りの方も、必ずしも余裕がある側だけじゃなくて、本人が苦しいとかつらいって方とか、困ってる方っていらっしゃると思うんですよ。奥田さん、前から言ってるじゃないですか、日本人は「助けて」っていう声を出せないんだって。そのあたり、教えていただけませんか。

子どもの自殺が止まらない

奥田　これが一番深刻な問題です。使える制度は、増えています。

二〇〇八年のリーマンショック時に比べたら、増えています。生活保護基準の引き下げということが一方で行われましたが、一方で生活困窮者自立支援制度などもできました。しかし、そこにつながらなかったら、一切意味がない。結局どんな良い制度も、そこにつながらなかったら、あるいは知らなかったら、意味がない。

気になっているデータがあります。子どもの自殺に関するものです。子どもの自殺の要因で一番多いのは何かって言うと……。大人の自殺に関しては例えば、失業であるとか家族関係であるとか病気であるとか、ある程度わかっています。しかし、子どもの自殺の要因で最も多いのが、実に約六割を占めているのが「不明」です。つまり、なんでその子がいのちを自ら絶ったのか、わからないのが半数以上。何が起こっているのかって言うと、何もサインを出さないまま、ある日突然、ポーンと逝ってしまう。小さなサインは出ていると思いますが、大人たちがそれに気づかない。だけど、そのサインは小さいと思います。子どもは「助けて」って言っていいじゃないですか。子どもは嫌だったら逃げればいい、泣けばいい。だけど、泣きもしない、「助けて」も言えない、逃げることもできない。なんで子どもたちは「助けて」って言えないんだろうか。

いろんな要因が考えられます。例えば、いじめの構造自体が、ものを言わせない構造になっているとか。しかし、何よりもの要因は、私たち大人が「助けて」って言わないからだと、私は思うんです。立派な大人、立派な社会人は、人に迷惑をかけない、自分一人でやる、自己責任が取れる人。子どもたちには、大人がそんなふうに見えているんじゃないか。結果、子どもは「助けて」って言えない状況に追い込まれている。

だからね、弱さの肯定と言うか、「助けて」のインフレみたいなものを大人が起こしたい。挨拶も「助けて」に変える。「こんにちは」「さよなら」じゃなくて、「おう、助けたろか」みたいに。「茂木さん元気？　助けたろか」みたいな。もうちょっと「助けて」のハードル下げないと、子どもの自死は止まらないんじゃないかなって。それは、ひとえに大人たちが「助けて」って言えるかどうかにかかっていると思います。そもそも、大人たちは、決して一人で生きているわけじゃない。だって私たちも助けてほしいじゃないですか。だから、クラウドファンディングで「助けて」って叫んでるわけだから。このクラウドファンディング、そういう意味もあって。「助けて」って言っていいんだよと伝えている。

茂木さんも知ってる下別府為治《しもべっぷためはる》さんていう元ホームレスのおじさん――うち「生笑一座《いきわらいちざ》」っていう一座を組んで子どもたちのところを全国的に回って、ホームレス体験を話しているんですけどね。「生笑」っていうのは「生きてさえいれば、笑える日が来る」という意味――この下別府さんが、公演の中で小学生に語るんですね。「あのね、おじさん、ずっと『助けて』って言えなかった。『助けて』って言ったら『何甘えてるんだ』って言われる、だから言えなかった。でも、ある日ついに『もう、限界だ』と思って『助けて』って言ったら、助けてくれる人がいたんだ」って言うんですよ。下別府為治さんは、公演の最後に子どもたちに「『助けて』って言えた日が助かった日だった」って語りかけるんですよ。小学生の何人もが、泣きながら聞いてるんですよ、その話。僕ね、どんだけ、今の子どもたちが追い詰められているのか、「助けて」の一言が言えないのかって思わされました。最も人間らしい一言じゃないんですかね、「助けて」は。

茂木　うん。この十年ぐらいかなあ、嫌な言葉いっぱいあったよね。自己責任とかね、生産性とかさ。

大きな目で見ると、グローバル化とかグローバル経済の競争とか、それで自由化とか新自由主義とか。でもね、今度のコロナって、まさにそういう動きが、ちょっとだめだったんだよねって、見直すきっかけになっているわけじゃないですか。そのグローバルって言うかね。

奥田　そうですね。グローバルだからこそ世界中がパンデミックになった。

茂木さん、あれ、どうですかね。「不要不急のお出かけはやめてください」って言うでしょう? 実際私なんか、講演会も国の会議も全部なくなったんで、確かに、家にずっといるんですよ。だけどね、不要不急の行動は慎めって言うんだけど、逆に言うと、私たちは何を必要としてきたのか。何を優先してきたのか。やっぱり立ち止まって考えるべきだと思うんですね。早く、あの日常に戻りたいって多くの人が考えています。そりゃそうだし、経済を戻さなければいけないというのはわかるけども、あの忙しさって、果たして必要だったんだろうかって。僕自身はちょっとそんな問いにも立っていますね、今回のコロナで。経済のグローバル化も含めて、経済至上主義の先に幸せがあるみたいに考えてきたけども、一方で、不要不急って言われた瞬間に、僕は何を必要とし、何を急いでたのかって問われた。案外、どうでもいいことがいっぱいあったんじゃないか。そんな気持ちになりますね。

茂木　スティーブン・キングさん、ホラー小説の大家がね、「芸術とかはまさに不要不急、必要ないって言われるけど、みんなロックダウンで家にいた時何を見てるかって言うと、映画とか、音楽聴いてね、役に立たないと思ってたものが一番支えてくれる」って。奥田さんの場合だと信仰ってのもあるんだろうし。居場所の問題って、大きいよね。僕、奥田さんのね、教会とその横の抱樸館ってなんかね、居場所のすごい美しい形だなって。今回また、あれでしょ。北九州市内の、某場所に、大きなプロジェクト、居場所を作ろうとされてるんでしょ？

希望のまちプロジェクト

奥田　北九州には、超有名な団体があってですね。

茂木　あの方々ですね。

奥田　工藤会連合って言うんですけどね、特定危険指定暴力団。「特定危険」て付いているのがこの団体だけだったんです。むちゃくちゃやばい人たちで。それで県警や市長、何より地元の住民が立ち上がったんです。暴力追放運動です。工藤会殲滅《せんめつ》作戦が始まった。ついに、昨年、本部事務所が使用禁止になったんですよ。それが売りに出されるっていうことになって。今回ね、暴力追放センターが間に入って、一億円で県内の希望者に売却されました。しかも、その売却費用は、被害者への弁済と建物の解体費用に充てるという条件で。つまり、一円も工藤会に入らないという条件で売却されました。

福岡のある社長さんがね、勇気を出してそこ買われたんです。しかし、工藤会は、まだ解散していないし、現に五百人ほどの組員が残っている現状です。買われた方が跡地利用に悩んでいるというニュースが流れたので、NPO法人抱樸で買い受けることにしました。北九州市の北橋《きたはし》市長に、お電話差し上げて、もしあの土地を利用できるんだったら、抱樸で借金してでも買いますと。実際、九州ろうきんから、一億三千万円をお借りして買うことができました。

私、全国に講演行くと、そして北九州から来たって自己紹介をすると、「怖いまちでしょ」って言われるんですよ。もう、これはショックでしたね。

茂木　もともと北九州ご出身じゃないですもんね。

奥田　でももう三十年住んでますから、我が故郷なんですよ。マイホームタウンなんですけども、「怖いまち」って言われるのが嫌で、今回はその工藤会の土地を抱樸で購入して、「怖いまち」から「希望のまち」へというプロジェクトを開始することにしました。あの場所を福祉の拠点に作り変えよう。どんな人でも引き受ける、困ったらそこに来たらいいって場所に変えちゃおうと考えています。で、始めようとして動き出したところにコロナが来たんですよ。

言っときますよ。全国の皆さん、工藤会の土地建物を買うためのお金と、今回のクラウドファンディングは全然違って、別なんですよ。このクラウドファンディングのお金が土地代になると、勘違いされた方もおられるけれども、全然別です。抱樸としても、今ほんとにお金が、喉から手が出るぐらい欲しいところだったんだけども、そこは我慢して、全国の十都市で活躍する団体に資金を提供し、支援付きの住宅を準備するためにクラウドファンディング、つまり一億円を集めるということを始めた。このクラウドファンディングで集まったお金は、全国の団体にそれぞれお渡ししますので手元にはほとんど残らない。十の団体には、責任のある事業をしていただくために、今後三年間伴走しながら応援します。そんなことですのでね、もし皆さん、クラウドファンディングが終わって、今度は抱樸を助けてやろうと思われたら、「希望のまちプロジェクト　工藤会本部跡地に福祉のまち計画を」の方を応援いただきたいと思います。

子どもたち、若者、家庭を支援する拠点に

奥田　暴力団はだめだと思いますよ。そりゃだめだと思うけども、でもね、そこに関わっていく若者たちの現実って、やっぱりいろいろなものがあると思います。結果として暴力団に入らざるを得ないということならば、それはそれで、社会として対処しなければいけないと思います。それぞれの子どもたち、若者たちの背景があるんです。

今度作る「希望のまち」は、子どもの頃から支援できる仕組みを作ります。ホームレスとかおじいさんとかだけじゃなくて、子どもたちやその家

庭も支援できるっていう拠点を作ろうと。そんなこと考えているんですね。

茂木　居場所を作るってことが、やっぱりそういうことにもつながりますよね。結局回り回ってね。

奥田　そう。居場所はね。なんで子どもたちがヤクザに行っちゃうのか。多分ね、こうだと思うんですよ。居場所とね、出番ですよ。つまりね、有用性が社会の中で認められてこなかった子どもや若者が暴力団から「お前、役に立つな」って言われる。その一言が欲しいんですよ、人間。私もそうだけど。学校においても、地域においても、不良だとか何とかって排除されてきた子どもたちがね、組事務所に行って、「お前、いいやつだな」って、飯食わしてもらう。そして「お前、これ頼めるか」って来たら「わかりました。この荷物届けてきます」となる。中身が何かわかんないまま届けたりする。

そういう褒められるとか、期待される体験が、暴力団やヤクザじゃなくて、地域の中でできたら、誰もヤクザにならないんじゃないか。居場所と、出番ですね、自己有用感って言うか。そういう社会をつくろうと思って「希望のまちプロジェクト」を始めました。

茂木　放送時間もあと約五分となりました（笑）。奥田さん、告知の方は大丈夫ですか。

奥田　さっき、茂木さん相当クラウドファンディングのこと突っ込んで言ってくれたんで、もうほぼ。

茂木　ほんと大事ですよね。これ見てる方、自分のことだって感じてほしいね。自分に関わることだって感じていただけると一番うれしいよね。

奥田　そうですね。ほんとにそう。今回、マスクのことでもそうだけども。マスクは実はほとんど中国で作られてたっていう。中国って言うと「え？どうなの？」みたいな気持ちになる人もいる。覇権主義じゃないかとか、東シナ海大丈夫？　みたいな。実は国境を越えてお互いが支え合っていたという日常に気づく。だから、自分だけは大丈夫っていう、自国第一主義なんか通用しない。お金がいくらあっても、マスクを作ってくれる国が病気になったら大変な社会なんだから。そういう関連の中で、自分は生きている。いろんなつながりの中で生きていってるんだと思うんですね。このクラウドファンディングは、余裕のある人がかわいそうな人を助けるっていう両極性の問題じゃなくって、全員が自分のこととして、社会参加として、このクラウドファンディングに参加していただきたいと思います。それは、あなたの居場所であり、あなたの出番になります。

茂木　皆さん、クラウドファンディングの方、ご寄付いただいてー。あと、抱樸もね、今ちょっとこの時代だからあれですけど、ボランティア志望とか、来たいっていう若者もいたりしてるんですか。

奥田　そうですね。ただ、この直前人手不足になってたんで、なかなか人材が集まらないっていう時も、一年ぐらいあったんですけども。私ね、変な話、今回のことで人生観が変わるって言うか、「不要不急」を考えるというのもそうなんだけども、自分は何のために生きているかってことを考えた人たちが大勢いたと思います。ぜひチャンスに変えていただいて、抱樸で働きたいとか、抱樸と一緒にボランティアしたいって方は、ぜひお訪ねいただきたいと思います。今、ホームページで求人の知らせが出ていますので、ぜひ一緒に考えていただきたいと思います。

いよいよ最後ですが、結果的に私ばっかりしゃべってってですね、後でうちのスタッフから絶対怒られるパターンなんです、これね。「茂木さんのファンがみんな聞いてるのに」って。

茂木　いやいや、ほんと、すごく有意義な会話だったと思います。

奥田　最後に茂木さん、今のこのコロナの時代、これから先、我々どう生きていくべきかっていうのを、ちょっとまとめてしゃべっていただけると。

茂木　皆さん、人間は一人では生きていけないっていうことは、脳科学やってる我々としてもほんとに大事なことで、人のためにやる利他的な行動というのは、自分にとってもうれしいってことが脳の活動でわかってるんですね。だから、「情けは人のためならず」と言いますけど、ほんとにどれぐらい他の人のために何ができるかということを基準に考えると、仕事も勉強も、結果として自分のためにもなるという。だから、この、ほんとに厳しい状況ですけど、皆さん、ぜひ、ふだんの生活の中でね、私は何がほかの人にできるのかな、どうやったら支え合えるのかなってことを考えると同時に、ぜひ、僕の画面から言うと、こっち側にいるんですけど（左の方を指さす）、（笑）奥田知志さんのＮＰＯ抱樸、本当にすばらしい活動をしてるんで。あれですよね、ホームページも充実していて。

奥田　新しくしたんです。この間。皆さん、ホームページ、ぜひ見てください。

茂木　すごくいいホームページになってます。あと、僕と奥田さんの共著も、集英社新書、出てますんで。とてもいい本だと言われています。

奥田　今から七年前になりますかね、『「助けて」と言える国へ』。実はこないだ対談させていただいた若松英輔《わかまつえいすけ》さんがですね、Twitterでこの本は今読むべき本だって言って、今自分も読んでるってご紹介くださっています。

茂木　いい人だわー。

奥田　そうそう、すごくいい人。だいぶ前の本で、私も茂木さんも、頭真っ黒だっていうのはこの写真見てよくわかった。

茂木　修正するの大変でしたよね。

奥田　（笑）ここに書かれている、二人でお話しした中身は今に通じる――今日は、孤独の問題なんかもう少しテーマがあったかも知れませんけど――まさにそういう「助けて」と言えない社会をどう見るかっていう本ですので、今も手に入りますので、ぜひご覧ください。

　じゃあ最後に、クラウドファンディングもう一度。

茂木　お願いします。

おわりに——闇の中に光を見る

この数か月、「新型コロナウイルス感染症」という未知の事態の中で、私たちは彷徨《ほうこう》してきた。現在（二〇二〇年十一月末）、感染第三波を迎えており、感染者数は連日過去最高を更新している。経済にかかるダメージは深刻で、厚生労働省が示すコロナ関連失業は七万人、自殺者数は十月単月で二千人を超えた。これは昨年比で四割増だという。今後、ワクチン開発などが進みパンデミックが終息する日は必ず来る。しかし、これだけのダメージを受けた経済が回復するにはどれだけの期間が必要か。あるいはその日は来るのか。

「新型コロナが私たちの日常を奪った」と多くの人が感じている。だから「あの日に戻りたい」という思いが募る。しかし私たちは、この機会に「あの日」について、今一度見直さなければならない。「あの日」は、本当に憧憬に値する日々だったのか。

大規模災害は、私たちに「非日常の事態」を強いる。地震、豪雨、津波……災害の本質はそれら「非日常の事態」にある。だが、同時に災害は、それまで露見していなかった「常態化された問題」を浮き彫りにする。すでにあった社会の矛盾、脆弱《ぜいじゃく》さ、格差、差別などが暴かれる。それが災害時に起こることである。

現在、コロナ禍によって明らかになっている問題は、十二年前、リーマンショック時に明らかになっていたものだ。「ポストコロナ」「新しい生活様式」が課題となっている。しかし「宿題をしないまま新学期には進めない」。先日、この本にも登場してくださった若松英輔《わかまつえいすけ》さんが、私が共同代表をしている「生活困窮者自立支援全国ネットワーク」の研究交流大会（オンライン）でご講演くださった。若松さんは、内村鑑三《うちむらかんぞう》の以下の文章を紹介された。

国が亡《ほろぶ》るとは其《その》山が崩れるとか、其河が乾上《ひあが》るとか、其土地が落込むとか云《い》ふ事ではない、

（中略）

・・・・・・・・・・・・・・・・・・国民の精神の失せた時に其国は亡びたのである、民に相愛の心なく、人々互《たがい》に相猜疑《さいぎ》し、同胞の成功を見て怒り、其失敗と堕落とを聞て喜び、我一人《にん》の幸福をのみ意《おも》ふて他人の安否を顧みず、富者は貧者を救はんとせず、（中略）其教育は如何《いか》に高尚でも、斯《かく》の如《ごと》き国民は既に亡国の民であつて、只僅《ただわずか》に国家の形骸を存して居るまでゞある、（内村鑑三「既に亡国の民たり」『内村鑑三選集　第六巻』岩波書店、一九九〇年より　※初出は『万朝報』一九〇一年）

内村が指摘する「国が亡びる」という事態は、コロナによって引き起こされたのではない。確かに現在加速度的に事態は深刻化しているが、それはコロナの前からあった現実だ。私たち

は、コロナ前から「亡国」に暮らしていたのだ。
コロナによってすでに「形骸」となっていた国が最終的に灰燼《かいじん》に帰するか、あるいは、この時にこそ考え、出会い、宿題を済ませることができるのか。つまり、分断が深まっていた国際社会が、コロナによって新しい共同体へと生まれ変わることができるのか。私たちは問われている。

私は期待している。コロナは数々の悲劇を生んだが、一方でチャンスになると。「光は闇の中に輝いている」。これは聖書の言葉である。闇が去って光が来るのではない。本当の光を見るには闇の中を模索するしかないのだ。闇が深ければ深いほど、光は明確にその所在を示す。リーマンショックの惨禍が表面的に落ち着き、光が戻ったかのように年月は流れたが、コロナ禍は、リーマンショック後、さらに大きく広がった闇の現実を私たちに示した。だからこそ、私たちはその闇から目をそらすことなく、そのただ中に光を見出《みいだ》したいと思う。それがコロナ禍を生きる者の所作だと考えている。

この場を借りてお願いがある。本書で紹介した通り抱樸《ほうぼく》は、現在次のプロジェクトに挑戦している。「希望のまち」プロジェクトである。かねてより北九州市の大きな問題であった「特定危険指定暴力団工藤会連合」に対して、官民一体の暴力追放運動が始まって六年になる。昨年ついに工藤会本部事務所が解体されることが決定した。しかし、現在も工藤会自体は解散しておらず、跡地利用については難航していた。

そこで、NPO法人抱樸としてこの土地を購入し、そこを「全世代型福祉拠点　希望のまち」として再生させることとした。これまでとかく「怖いまち」と言われていた町を「希望のまち」へと再創造するプロジェクトである。当然、多額の資金が必要となる。もし、協力・参加を考えていただける方がおられれば、抱樸ホームページ（検索☞ほうぼく　https://www.houboku.net/）をご覧いただきたい。以下は、「希望のまち」のコンセプトである。

工藤会本部事務所跡地を多くの人が笑顔で過ごせる場所へと再創造します。地域に暮らす方々、子ども、若者、高齢者、生活困窮者、障がい者、生きづらさを抱えた人々が「その人らしく生きる」ために「居場所」と「出番」を提供します。

このプロジェクトは、北九州市が「共生都市」として発展していることの証《あか》しであり、これまでのマイナスイメージを払拭するものとなります。つまり、暴力団事務所という北九州市の「暗部」を象徴した場所を「共生と福祉」、つまり「いのちと希望の拠点」に変えます。

「希望のまち」は、「孤立する人がいないまち」であり、「助けてと言えるまち」です。「希望のまち」は、「お互い様のまち」であり、「助けられた人が助ける人になれるまち」です。

すべての人に「居場所と出番」がある全員参加型の場所として、「希望のまち」は「ひとりも取り残されないまち」を目指します。このプロジェクトにより、苦難を抱えた地域が「共生都市」として再生し、ＳＤＧｓの取組みを全国にアピールします。

私にとって「希望のまち」がポストコロナの具体的なアクションとなる。それは、変な風邪が流行ったぐらいで家を失ったり、仕事を失ったり、ましては自殺に追い込まれる、そんなことが起こらない町である。

この本の執筆による収益は、「希望のまち」建設のために用いられる。

最後に、本書の仕上げの作業を助けてくださった、石橋誠一《いしばしせいいち》牧師、大森照輝《おおもりてるき》牧師に心より感謝申し上げる。私は、いつもこうやって助けられて生きてきた。心よりそう思う。

二〇二〇年十二月

奥田知志

［著者紹介］

奥田知志（おくだ　ともし）

1963年滋賀県生まれ。日本バプテスト連盟・東八幡《ひがしやはた》キリスト教会牧師。認定NPO法人抱樸《ほうぼく》理事長。関西学院大学神学部大学院修士課程修了、西南学院大学神学部専攻科卒業、九州大学大学院博士課程後期単位取得。公益財団法人共生地域創造財団、ホームレス支援全国ネットワーク、生活困窮者自立支援全国ネットワーク、全国居住支援法人協議会など代表。第1回（2016年度）賀川豊彦賞、第19回（2017年度）糸賀一雄記念賞受賞。

著書に『もう、ひとりにさせない――わが父の家はすみか多し』（いのちのことば社、2011年）、『「助けて」と言える国へ』（共著、集英社新書、2013年）、『生活困窮者への伴走型支援――経済的困窮と社会的孤立に対応するトータルサポート』（共著、明石書店、2014年）、『いつか笑える日が来る――我、汝《なんじ》を孤児とはせず』（いのちのことば社、2019年）などがある。

「逃げおくれた」伴走者

分断された社会で人とつながる

2021年1月16日　初版第1刷発行

著　者　奥田知志

発行人　小林豊治

発行所　本の種出版

〒140-0013　東京都品川区南大井3-26-5　3F

電話 03-5753-0195　FAX 03-5753-0190

URL http://www.honnotane.com/

本文デザイン　小西　栄

扉イラスト　東郷聖美

DTP　アトリエRIK

印刷　モリモト印刷

©Okuda Tomoshi　2021

JASRAC 出 2006444-001

本書の無断複製・複写・転載を禁じます。

落丁・乱丁本はお取り替えします。

ISBN 978-4-907582-22-7

Printed in Japan

本の種出版の本

社会・子どもの貧困・困窮者支援・地域福祉

2020年12月 刊行予定

むすびえのこども食堂白書
地域インフラとしての定着をめざして

湯浅　誠 編
全国こども食堂支援センター・むすびえ 著

B5判 180頁 並製/**2500円**（税別）
978-4-907582-25-8　C0036

本の種レーベル『ミライのパスポ』

2021年1月 刊行予定

自分の地域をつくる
ワーク・ライフ・プレイ ミックス

菅原和利 著

四六判 192頁 並製/**1700円**（税別）
978-4-907582-24-1　C0036

本の種出版
bookseeds